CUENTOS A

EX-LIBRIS

Este libro pertenece a

....

....

Castalia Prima

DIRECTORES:

Manuel Camarero y Fernando Carratalá

❧

1. Alarcón, Clarín, Galdós, Pereda, Valera: CUENTOS, *ed. de Kepa Osoro Iturbe.* 2. EL ROMANCERO, *ed. de José María Legido.* 3. Alejandro Casona: LA DAMA DEL ALBA, *ed. de Fernando Doménech Rico.* 4. CUENTOS DE LA EDAD MEDIA, *ed. de José Antonio Pinel.* 5. POESÍA ROMÁNTICA, *ed. de Rafael Balbín.* 6. Cervantes, García Lorca: DOS RETABLOS Y UN RETABLILLO, *ed. de Ana Herrero Riopérez.* 7. POESÍA DE LOS SIGLOS DE ORO, *ed. de Arcadio López-Casanova.* 8. Benito Pérez Galdós: MARIANELA, *ed. de Magdalena Aguinaga.* 9. Lope de Vega: EL PERRO DEL HORTELANO, *ed. de Paula Barral.* 10. Ayala, Cela, Aldecoa, Delibes, Martín Gaite, Matute: CUENTOS (1940-1960), *ed. de Jesús Arribas.* 11. Pérez Zúñiga, Pérez de Ayala, Gómez de la Serna, Jardiel Poncela, García Pavón: RELATOS DE HUMOR DEL SIGLO XX, *ed. de José Luis Aragón Sánchez.* 12. CUENTOS DEL SIGLO DE ORO, *ed. de Félix Navas y Eduardo Joriano*

CUENTOS ANDALUCES

*Edición a cargo
de Antonio A. Gómez Yebra*

CASTALIA PRIMA

Copyright © Editorial Castalia, S.A., 2001
Zurbano, 39 - 28010 Madrid - Tel.: 91 319 58 57 - Fax: 91 310 24 42
Página web: http://www.castalia.es

Ilustración de cubierta:
Cristóbal Ruiz: *Tierras de Jaén - El labrador.*
Museo de Bellas Artes. Jaén.

Impreso en España - Printed in Spain

I.S.B.N.: 84-7039-890-3
Depósito Legal: M-12.803-2001

Índice

Presentación

Hay cuentos para todas las edades y para todos los gustos. Cierto que los gustos cambian. Y si en algún momento temíamos por la integridad de Caperucita, amenazada o devorada por el terrible lobo, en la actualidad nos da pena del pobre animal, e intentamos cambiar el final del cuento. Incluso localizamos alguna Caperucita de cualquier color que se burla del lobo o lo maltrata sin piedad.

Alentados por ciertos movimientos sociales de distinto signo, hoy pretendemos que los personajes femeninos no sean únicamente, como ocurre en el titulado «La adivinanza del pastor», de esta antología, el premio que se lleva el vencedor de determinada dificultad.

Del mismo modo que varían los gustos del ser humano, se modifican también sustancialmente los pensamientos y los sentimientos de los protagonistas; se transforma la finalidad que cada cuento lleva entre líneas. Evoluciona el cuento.

Porque, más o menos, cada relato responde a unas vivencias, a unas necesidades de una época. *El flautista de Hamelin*, por ejemplo, es la respuesta a una grave preocupación: cómo deshacerse de los millones de ratas que asolaban Europa causando numerosas epidemias y hambrunas en determinados períodos de la Historia.

Hoy preocupa bastante más la problemática ecologista y la racista, y están surgiendo por todas partes cuentos con esos temas al fondo. El equilibrio entre el hombre y su entorno, la amistad, la cordialidad entre gentes de diversas razas y opiniones conforman el asunto principal de muchos cuentos de ahora mismo.

Así pues, en los cuentos cabe todo: personajes, mundos, situaciones, criterios, credos. Y se plantean desde todos los puntos de vista: desde la mera y llana relación de acontecimientos, que fue en principio el sistema más apropiado, hasta la crítica o la burla de los acontecimientos sociales y políticos del momento presente.

Entrar en un cuento es cambiar de perspectiva, acceder, por propia voluntad, a un espacio distinto, muchas veces mágico, es visitar el pasado y el futuro sin necesidad de introducirse en una máquina del tiempo.

Quizás por eso nos siguen interesando cuentos de encantamiento, como «La princesa encantada». O los que reproducen formas y maneras de encarar la vida en otras épocas, sea la Edad Media, como «Jacob de Córdoba y el noble», o sean los años 50 del siglo XX, que ya se nos antojan lejanos, en «La primera comunión», de Juan Eslava Galán.

Qué es el cuento

La palabra *cuento* deriva de contar —*computare*, en latín—, es decir: calcular, enumerar. En un principio se trató de enumerar hechos reales, pero pronto se fué pasando a la narración de hechos absolutamente inventados. En la Edad Media existían varias modalidades de narración —en prosa, en verso y en prosa rimada y ritmada—: fábulas y fablillas, ejemplos, apólogos, proverbios, hazañas, castigos, etc. Alguno de aquellos textos aparece en esta selección, como es el *ejemplo* del Conde Lucanor.

Durante el Renacimiento, el cuento y la novela no se diferencian con claridad. En esa época se considera cuento a lo que se narra de viva voz, y novela a lo que se escribe, sin tener en consideración las dimensiones de uno y de otra.

A menudo, en ese período se denomina *cuento* a determinadas narraciones simples, como los chistes, algunas anécdotas, ciertos refranes, sucesos de interés colectivo, etc.

Los autores románticos, así como los recopiladores de la literatura de tipo tradicional que, a imitación de los hermanos Grimm, iniciaron la tarea de establecer el *corpus* de nuestras obras de origen popular, utilizaban a veces el término *leyenda*, cuando no *balada*, o *relación* al referirse a los cuentos.

Fernán Caballero (Cecilia Böhl de Faber) llama a algunos de los suyos *relaciones*, aunque cuando creía que iban destinados a los niños, los incorporaba dentro del epígrafe *cuentos*.

Juan Valera, por su parte, no distingue con claridad qué es para él un *cuento* y en qué se diferencia de un *chascarrillo*. Éste se definía en su época como «anécdota ligera y picante, cuentecillo, más o menos agudo y malicioso, con que se anima la conversación entre personas de buen humor». Diferencia, pues, al chascarrillo, la extensión y esa pizca de humor, que lo aproxima al chiste actual.

Los escritores de cuadros costumbristas que florecieron en Andalucía a finales del XIX y primeras décadas del XX solían estar dispuestos a reproducir en sus textos el habla andaluza, lo que resultaba muy del agrado de sus contemporáneos.

En nuestra lengua, pese a la categoría que plumas como la de Leopoldo Alas «Clarín», o Emilia Pardo Bazán, le proporcionaron a finales del XIX y principios del XX, el cuento ha sido considerado un género menor hasta finales del último siglo, cuando la aparición de antologías de prestigiosos autores ha beneficiado al género y a sus lectores.

Siguiendo a Enrique Anderson Imbert, puede definirse el cuento como «narración breve en prosa donde se reflejan acontecimientos de todo tipo a través de una trama en que las tensiones y distensiones, graduadas para mantener en suspenso el ánimo del lector, terminan por resolverse en un desenlace estéticamente satisfactorio».

Nunca ha pasado el cuento, en lengua castellana, por un periodo histórico-literario más satisfactorio y prometedor que los primeros años del 2000. Por esa misma razón podemos ya reunir en este volumen cuentos de ayer y de hoy.

Características del cuento

La principal característica del cuento, según la idea que de él tenemos a principios del siglo XXI, es su brevedad. Y ésta se refiere tanto al número de páginas que ocupa el relato como a la trama. Es decir, en el cuento se exige gran concentración: en cuestión de materiales, en la presentación de muy pocos personajes, y en la utilización de un esquema rápido y sugerente.

Temas y lugares

En los cuentos cabe todo: actuaciones de protagonistas buenos y malos, incluso santos, perversos y demoníacos. Personajes que parecen de carne y hueso, y otros que no tienen entidad física alguna. Hechos absolutamente reales, hechos completamente fantásticos, y hechos que pasan del mundo real al fantástico y viceversa sin previo aviso. Cosas y casos de hoy, pero también de ayer, de mañana, y hasta del fin del mundo y más allá. Lugares edénicos, desiertos, paisajes devastados, fondos marinos, el espacio sin límites, un disco duro de ordenador, el centro de la Tierra, planetas por descubrir, parajes imaginados. En los de esta antología la acción se produce, o se supone que así ocurre, en algún lugar de Andalucía, en un periodo conocido de la Historia, o en un momento indeterminado.

A buen seguro, quienes contaban los primeros cuentos lo hacían desde un lugar de privilegio, intentando siempre captar la atención y el interés de los demás. Luego, el narrador quiso que lo *contado* no se perdiera en la memoria infiel de sus amigos y convecinos, y se decidió a dejarlo por escrito sin firmarlo.

Pero las vivencias de los hombres, en cualquier lugar del mundo, son muy parecidas, y se han ido traspasando de un punto del globo a otro. De modo que distintos pueblos, a muchos kilómetros de distancia, consideran como creación propia un mismo cuento, que apenas varía en aspectos concretos: en el fondo es el mismo.

Claro que, con el tiempo, los escritores no quisieron que sus obras circulasen anónimas por el mundo. Eran creación de su mente: llevarían el nombre y los apellidos de quienes les dieron vida literaria. Por eso aparecen en esta antología textos de Yosef ben Meir ben Zabarra, del Infante don Juan Manuel, etc. Todos ellos tienen un denominador común: son andaluces, o sitúan sus obras en algún punto de Andalucía. De modo que las ocho provincias quedan, con ellos, representadas. Córdoba en «Jacob de Córdoba y el noble»; la capital andaluza en «La cerca de Sevilla»; Granada en «El carbonero alcalde»; Málaga en «En el tren», por haber nacido en esa ciudad Arturo Reyes; Cádiz, donde nació José María Pemán, en «Las niñas»; Huelva, en cuya provincia vio la luz Juan Ramón Jiménez, en «El zaratán»; Jaén en «La primera comunión», de Juan Eslava Galán; y Almería en «Las calles».

Los primeros pasos del cuento popular andaluz

En el primer tercio del siglo XIX Juan Nicolás Böhl de Faber, padre de Cecilia (Fernán Caballero), preparó una antología de textos poéticos antiguos españoles: *Floresta de rimas antiguas*. Con Juan Nicolás puede decirse que entra en nuestro país —por Cádiz— el romanticismo. Y con el romanticismo, el afán por recuperar todo el acervo literario popular que el tiempo y la desidia estaban destruyendo.

Su hija Cecilia se incorporó algún tiempo después a la tarea, recogiendo, de la gente del campo en general, toda suerte de poemas, adivinanzas, canciones, y cuentos que se repetían de boca en boca y parecían destinados a perderse.

A mediados del siglo XIX Agustín Durán fue uno de los que pusieron las primeras piedras en la recopilación del folclore español, en especial del Romancero. Su sobrina Cipriana Álvarez Durán, también preocupada por esos asuntos, se casó con Antonio Machado Núñez, de cuyo matrimonio nació Antonio Machado Álvarez, padre de los poetas Antonio y Manuel Machado, y más conocido entre sus contemporáneos como *Demófilo*.

Demófilo había nacido en Santiago pero, a los cuarenta días de su nacimiento, la familia se trasladó a Sevilla. En esta ciudad se interesó muy pronto por la literatura popular, animado por uno de los amigos de su padre: Federico de Castro. Con éste publicaría más tarde una edición de *Cuentos, leyendas y costumbres populares*.

En 1877, con un grupo de amigos, funda la revista *La Enciclopedia*, y pronto inauguran el Ateneo Hispalense. Entre sus miembros destacan Francisco Rodríguez Marín, Luis Montoto y otros personajes preocupados por recuperar el folclore andaluz en todas sus variantes. Cuatro años más tarde publica

Demófilo su *Colección de cantes flamencos,* al que seguirá *Estudios sobre literatura popular*.

Demófilo y otros animosos defensores de las creaciones literarias populares fundaron la revista *El folklore andaluz*, que puede considerarse pionera en esos estudios, y una de las que más influyó para que otros muchos se preocupasen por recopilar poemas y cuentos del mismo origen. Como muestra, se recoge en esta edición, y de esa revista, «El agua amarilla», transcrito por don José Luis Ramírez.

Aunque la revista apenas duró un año, su labor no cayó en saco roto, y puede considerarse fundamental como despertadora de nobles aficiones por rescatar el patrimonio literario andaluz y español en general. De ella, además, salió Alejandro Guichot y Sierra, cuya aportación principal, por otra parte, es *Noticia histórica del folklore*.

I. *Cuentos clásicos*

Yosef ben Meir ben Zabarra

Jacob de Córdoba y el noble

Yosef ben Meir ben Zabarra

Fue un médico judío nacido hacia el año 1140 en el condado de Barcelona, pero probablemente en algún lugar muy próximo a Aragón.

Desde luego, no fue un personaje cualquiera. Bien al contrario, conocía el hebreo, el árabe y el griego, y demuestra una soltura envidiable al utilizar la prosa rimada, género muy común entre árabes y hebreos.

En su *Libro de los entretenimientos* sabe hacer uso, también, de la poesía, y le encanta transmitir buena parte de los conocimientos que ha ido aprendiendo durante toda su vida y en él hay un poco de todo, tal como se solía hacer en su época: Medicina, Filosofía, Religión, Astronomía... Se trata de la obra de un verdadero erudito, de un sabio del siglo XII.

Jacob de Córdoba y el noble

Había un judío en Córdoba cuyo nombre era Jacob, el intermediario. Era aquel hombre bueno y fiel, y ante cualquier mandato del juez estaba dispuesto a obedecer. Una vez se le confió un collar de las más selectas piedras y de las mejores perlas para venderlo por quinientas monedas de oro. Ocurrió que cuando llevaba el collar en la mano, lo encontró uno de los grandes del rey y le dijo:

—Jacob, ¿qué es este collar?

Le respondió:

—Mi señor, me han encargado que lo venda.

—¿Y por cuánto lo das?

Dijo:

—Por quinientas monedas de oro.

Replicóle el noble:

—¿Lo darías por cuatrocientas?

Le contestó:

—No puedo, pues su dueño me advirtió que no tomara por él menos de quinientas monedas de oro.

El noble le propuso:

—Llévalo a mi casa, y si le gusta a mi mujer, lo compraré.

Caminó con él hasta que le hizo llegar a la puerta de su casa. Entonces le dijo:

—Quédate aquí hasta que te traiga las monedas o el collar.

Entró en su casa y cerró la puerta tras de sí. El judío esperó hasta la tarde, pero nadie salió de la puerta de su casa. Sucedió que, al ponerse el sol, Jacob se marchó a su casa lleno de rabia. La muerte le habría resultado agradable, pues la inquietud se había alojado en su corazón y lo atormentaba. Se fue a dormir y se acostó en el suelo, sin probar bocado ni él, ni sus hijos, ni su mujer. No se quitó la camisa, ni los ojos ni párpados cerró, y dio vueltas durante toda la noche *como la arcilla de un sello*.[1] Madrugó por la mañana para ir a la casa del noble en el momento en que éste salía de ella. Al verlo corrió a su encuentro y le dijo:

—Mi señor, ¿quieres comprar el collar o lo vas a devolver para que pueda vendérselo a otro?

Le respondió:

—¿Qué collar? ¿Acaso has visto a alguno de los hijos de Anaq?[2]

Dijo el judío:

—Un collar de perlas que cogiste ayer de mis manos.

El noble le replicó:

—¡Loco insensato! Por mi vida y la de mi rey que si no fuera por el respeto que me tengo, te arrancaría la cabeza y te pisotearía con la sangre de tu hígado.

Sucedió que, al ver Jacob su cólera y la dureza de sus palabras, *terrores de muerte le sobrecogieron*.[3] Retrocedió y huyó de su presencia, pues vio que le atravesaba con la

---

[1] El texto recoge varias citas del *Antiguo Testamento* cuya procedencia indicamos. *Job*, 38,14.   [2] En hebreo, la palabra *anaq* puede significar «callar», o «gigante».   [3] *Salmos*, 55,5.

mirada. Se dirigió a la casa del juez, su señor, y cuando éste lo estaba observando, he aquí que el dolor lo mordía con sus dientes hasta el punto de que se le demudó el semblante y el aspecto del rostro.

Le dijo el juez:

—¿Qué te pasa que estás tan alterado? ¿Acaso por algo te atormentas?

Respondió:

—Mi señor, me encuentro en un grave aprieto y no puedo contarte mi angustia, para que no me consideres mentiroso y reduzcas a la nada mis palabras.

Le dijo el juez:

—Cuéntame, pues tú me pareces sincero en todas tus palabras y justo en todo lo que dices.

Le contó todo lo que le había sucedido en el asunto del collar y que prefería ser estrangulado.[4]

Le dijo el juez:

—*Aparta el enojo de tu corazón,*[5] aleja la pena de tu interior. No te retuerzas ni grites en tus dolores,[6] porque yo te lo devolveré.

Ocurrió que, a la mañana siguiente, mandó llamar a todos los magnates de la ciudad, a sus ancianos, sus sabios y sus notables para que fuesen a la corte de justicia, pues era su costumbre convocar a veces a los sabios y hablar con ellos de los juicios. Fueron todos ellos a su casa para escuchar sus sabias e inteligentes palabras. Antes de que llegaran, dijo a su criado:

—Cuando venga el noble fulano, coge su sandalia, ve a su casa y dile a su mujer: «Mi señor, tu marido, me ha

[4] *Job*, 7, 15.   [5] *Eclesiastés*, 11,10.   [6] *Isaías*, 26, 17.

enviado a ti para que le des el collar que compró antes de ayer, porque quiere mostrar su belleza y hermosura. He aquí que él me ha entregado su sandalia como testigo y señal».

Cuando vio la mujer la sandalia de su marido, le dio el collar y el muchacho se lo llevó a su señor, y lo escondió en su pecho hasta que saliera la gente de la corte de justicia. Ocurrió que cuando salieron, le preguntó su señor:

—¿Trajiste el collar?

Contestó:

—Lo traje.

Y lo sacó de su pecho y se lo dio. Envió llamar a Jacob, el intermediario, y le dijo:

—Calla y no te quejes, porque te voy a devolver el collar. Lo he sacado de la casa del noble, *del que lo robó*.[7]

Cuando lo vio el judío, le besó las manos y lo bendijo y se dirigió a su casa alegre y contento.

---

[7] *Levítico*, 5,23.

El Infante Don Juan Manuel

Lo que sucedió a don Lorenzo Suárez
en el sitio de Sevilla

El Infante Don Juan Manuel

Nació en Escalona (hoy, provincia de Toledo), en 1282, y era sobrino de Alfonso X el Sabio.

Su educación fue muy completa, ya que no sólo leía perfectamente el Latín y era muy versado en Teología y Derecho, sino que dominaba la equitación y era un auténtico maestro en el manejo de las armas y en la caza.

Tuvo una vida muy azarosa, en un momento histórico de gran interés: la época del feudalismo, en la cual se movía como pez en el agua. Llegó, incluso, a ser regente de Castilla durante la minoría de edad de Alfonso XI.

Escribió varias obras, como *El libro de las armas, El libro del caballero y del escudero,* y *El libro de la caza,* entre otras, pero le ha dado justa fama *El libro del Conde Lucanor,* de donde hemos tomado el *ejemplo* titulado "Lo que sucedió a don Lorenzo Suárez en el sitio de Sevilla".

Murió en 1348, después de haber dejado sus libros al cuidado de los monjes dominicos en el monasterio de Peñafiel para que no se perdiesen. Por desgracia, sus deseos se truncaron muy pronto.

Lo que sucedió a don Lorenzo Suárez
en el sitio de Sevilla

Otra vez le dijo el conde Lucanor a Patronio, su consejero, lo siguiente:

—Patronio, una vez me sucedió que tuve a un rey muy poderoso por enemigo, y, cuando ya la guerra había durado mucho, vimos que era más conveniente hacer las paces. Pero aunque ahora estamos avenidos y no peleamos, seguimos viviendo con mucho miedo el uno del otro. Gente de la suya y aun de la mía me ponen temor, diciéndome que el otro busca un pretexto para hacerme la guerra. Por vuestro buen entendimiento os ruego que me aconsejéis lo que deba hacer.

—Señor conde Lucanor —dijo Patronio—, éste es un consejo muy difícil de dar, por varias razones,[1] ya que por este medio todo el que quiera meteros en dificultades lo puede hacer muy fácilmente, dándoos a entender que lo que busca es vuestro provecho, pues al abriros los ojos y poneros en guardia parece dolerse del daño que os vendría si así no lo hicierais, y, metido en sospecha, no podréis por menos de tomar medidas que sean principio de una guerra, sin que podáis culpar a los que os lo aconsejaron, pues el que os diga que no os guardéis de vuestros

[1] Patronio quiere hacer ver al conde que la suya es una pregunta «farisaica» o capciosa.

enemigos muestra no importarle vuestra vida, y el que os diga que no mejoréis y proveáis de gente, armas y provisiones vuestras fortalezas muestra no importarle vuestros señoríos, y el que no os aconseje procuréis tener muchos amigos y muchos vasallos, haciendo por conservarlos y tenerlos contentos, muestra no importarle vuestra honra y defensa; todo lo cual, si no se hace, es muy peligroso, y si se hace puede ser comienzo de desavenencias. Pero, pues queréis que os aconseje en esta disyuntiva, me gustaría mucho que supierais lo que sucedió a un valiente caballero.

El conde le rogó que se lo contara.

—Señor conde —dijo Patronio—, cuando el santo y bienaventurado rey don Fernando tenía cercada a Sevilla, estaban en su ejército, entre otros muchos buenos caballeros, tres que eran considerados como los mejores que en aquel tiempo había en el mundo: el uno se llamaba don Lorenzo Suárez Gallinato, el otro don García Pérez de Vargas, y no recuerdo el nombre del tercero. Estos tres caballeros disputaron un día sobre cuál de ellos era el mejor. No pudiéndose poner de acuerdo, resolvieron armarse muy bien y llegar los tres juntos a dar con sus lanzas en las mismas puertas de Sevilla.[2]

Al día siguiente, por la mañana, se armaron los tres y se dirigieron a la ciudad. Los moros que estaban por las torres y muros, cuando vieron que sólo eran tres, los tomaron por emisarios y no salieron a pelear con ellos. Los tres caballeros pasaron el puente y la barbacana y, llegando a las mismas puertas de la ciudad, die-

[2] Se trataba de una auténtica provocación.

ron con los cuentos de las lanzas en ellas. Hecho esto, volvieron las riendas y se dirigieron al campamento. Al ver los moros que nada decían, tuviéronse por burlados y quisieron salir tras ellos; pero cuando abrieron las puertas ya los caballeros se habían alejado. Los que salieron a perseguirlos eran más de mil quinientos jinetes y más de veinte mil infantes. Cuando los tres caballeros se vieron perseguidos, volvieron las riendas y los esperaron. Al llegar los moros cerca de ellos, el caballero cuyo nombre he olvidado los fue a atacar, mientras que don Lorenzo Suárez y don García Pérez se estuvieron quietos; cuando los moros se acercaron más, don García Pérez se fue contra ellos, mientras que don Lorenzo se mantuvo quieto, sin atacarlos hasta ser atacado. Entonces se metió entre ellos y comenzó a hacer muy extraordinarios hechos de armas.

Cuando los cristianos los vieron rodeados de moros fueron a socorrerlos. Aunque los tres pasaron momentos muy difíciles y quedaron heridos, por la merced de Dios no murió ninguno. Fue tan grande y reñida la batalla entre los dos ejércitos que el rey don Fernando acabó por venir. Triunfantes los cristianos, al volver el rey a su tienda mandó prender a los tres caballeros, diciendo que merecían la muerte por haber osado tamaña locura, atacando a los moros sin orden suya y arriesgando sus vidas. Pero como intercedieron en su favor los hombres más ilustres que había en el ejército, los mandó soltar.

Cuando el rey supo que lo habían hecho para dirimir la disputa que entre ellos tuvieron, mandó llamar a los mejores hombres de su ejército para decidir quién llevaba la

32

palma.[3] Reunidos, discutieron mucho, pues unos decían que el más esforzado era el que primero los fue a atacar, otros que el segundo y otros que el tercero. Cada uno alegaba tantas razones que parecía que tenía razón. Y, en verdad, que los hechos de los tres caballeros eran tan buenos que no faltarían a nadie razones para alabar al uno o al otro. Pero al final se acordó lo siguiente: Si los moros que los atacaron hubieran podido, por su escaso número, ser vencidos por el esfuerzo de los tres caballeros, el mejor sería el primero que los fue a atacar, pues comenzó una cosa que podía felizmente ser acabada; pero, pues los moros eran tantos que los tres caballeros no podían vencerlos, resultaba evidente que el que primero los atacó no esperaba hacerlo, sino que por vergüenza no se atrevió a huir y el miedo y la falta de serenidad le hicieron atacar. Mejor que éste era el segundo, pues se mantuvo más tiempo sereno. Pero a don Lorenzo Suárez, que sin dejarse dominar por el miedo esperó tranquilo a que los moros le atacaran, juzgaron por el mejor caballero de todos.

Vos, señor conde Lucanor, pues veis que os están tratando de infundir temor y que esa guerra sería tal que vos con vuestras fuerzas no podríais acabarla, persuadíos que cuanto más sufriereis el miedo daréis más muestras de valor y cordura; y, puesto que tenéis lo vuestro seguro y no os pueden por sorpresa hacer mucho daño, mi consejo es que no perdáis la serenidad, como hizo el primer caballero. Ya que no podéis sufrir repentinamente ningún descalabro, esperad a que el otro os ataque y qui-

[3] *Quién llevaba la palma*: quién era el vencedor.

zás tendréis ocasión de ver que vuestro temor no tiene fundamento, y que sólo os dicen estas cosas quienes se benefician de ellas y quienes medran a río revuelto.[4] Podéis estar seguro de que ni los amigos de vuestro adversario ni los vuestros que tratan de meteros miedo quieren la guerra, para la cual no disponen de medios, ni tampoco la paz, sino un alboroto en que puedan robar y atacar vuestras tierras y obligaros a vos y a los vuestros a que les deis lo que tenéis y lo que no tenéis, sin miedo de ser castigados por lo que hagan. Por lo cual os vuelvo a aconsejar que, aunque vuestro enemigo haga algo contra vos, esperéis con paciencia que él inicie el ataque, lo que para vos tendrá muchas ventajas, ya que, en primer lugar, Dios estará de vuestra parte, lo que en estas cosas es muy necesario, y, en segundo lugar, todo el mundo verá que tenéis razón. Fuera de esto, quizás si vos no hacéis lo que no debéis el otro no os ataque, con lo que tendréis paz y serviréis a Dios, seréis estimado por los buenos y no os perjudicaréis por complacer a los que se benefician con vuestro daño, que por eso mismo sentirían muy poco.

Al conde le gustó mucho este consejo que Patronio le daba, lo siguió y le fue bien con él. Como don Juan vio que este cuento era bueno, lo mandó escribir en este libro e hizo unos versos que dicen así:

Por miedo no os obliguen a atacar,
que siempre vence el que sabe esperar.

---

[4] *A río revuelto, ganancia de pescadores* –dice el refrán.

II. *Cuentos populares*

El agua amarilla

Estas eran tres hermanas y había poca costura,[1] y dice la mayor: yo me quería casar con un panadero para que no me faltara pan; y la de enmedio: pues yo con un cocinero; y la más chica: pues yo con el Rey.

A esto que pasaba el Rey y lo oyó; y entró, y dijo: ¿quién es la que se quería casar con un panadero? La mayor dijo que ella. ¿Quién es la que se quiere casar con un cocinero? La de enmedio contestó que ella; y el Rey, dirigiéndose a la más chica, añadió: pues entonces Vd. es la que se quiere casar con el Rey. La más chica respondió que sí; y entonces va el Rey y dice: pues ahora mismo se van a celebrar las tres bodas.

La mayor se casó con el panadero, la de enmedio con el cocinero y la más chica con el Rey. Las hermanas desde que vieron que se casó con el Rey su hermana la más chica, no querían ir a su casa a verla: le tomaron envidia; pero al año tuvo un niño, y, enteradas, fueron y le pidieron permiso al Rey para ver a su hermana. El Rey les dijo que sí; entonces las dos hermanas entraron a ver a su hermana. Cuando estuvieron dentro, sin que ésta las viera, cogieron al niño, lo metieron en un canastito de flores

---

[1] Seguramente se dedican a coser su ajuar.

y lo echaron por una ventana a un arroyo que pasaba por allí debajo.

El Sultán[2] del Rey tenía costumbre de pasearse todas las tardes por el jardín; pues una tarde vio un canastito que iba por el arroyo, y con el bastón lo fue arrimando a la orilla, y vio un niño dentro: lo cogió y se lo llevó a su casa y se lo entregó a su mujer para que lo diera a criar a un ama.[3]

Pues señor, las hermanas fueron y le presentaron al Rey un perro, diciéndole que aquello era lo que había tenido su mujer. El Rey, de enfadado que se puso, quiso separarse de ella; pero los amigos lo convencieron para que no se separase de su mujer.

Pues señor, al año siguiente tuvo otro niño; fueron las hermanas lo cogieron y lo metieron en otro canastito y lo echaron por la ventana que daba al jardín.

Pues se estaba paseando el Sultán y vio otro canastito que iba por el arroyo, y con el bastón lo fue arrimando a la orilla, y lo cogió, se lo llevó a su casa y le dijo a su mujer que el ama que había criado al otro que criara a aquel también.

Pues señor, las hermanas le presentaron al Rey un gato, diciéndole que aquello era lo que había tenido su mujer. El Rey se puso muy enfadado y quiso separarse; pero los amigos lo convencieron; y, por fin, siguió con ella sin separarse.

Pues señor, que al otro año tuvo una niña, y fueron las hermanas y la cogieron y la echaron por la ventana al arroyo.

---

[2] Debe tratarse de algún gobernador. La aparición del sultán apunta sobre la posible procedencia árabe del relato. [3] Utilizar amas de cría ha sido una costumbre muy enraizada hasta que ha aparecido en el mercado todo tipo de leche en polvo «maternizada».

Pues estaba el Sultán paseándose y vio otro canastito que venía por el arroyo, y fue con el bastón, y lo fue arrimando hacia la orilla, y vio que tenía otro niño; fue, lo sacó, y se lo llevó a su casa, y le dijo a su mujer que la misma ama que había criado a los otros que criara a aquél.

Pues señor, las hermanas le presentaron al Rey un pedazo de corcho ensangrentado,[4] y el Rey mandó que pusieran a su mujer al instante en una jaula de hierro[5] para burla de todo el mundo. El Sultán del Rey había criado a los tres niños y le daba lástima decirles que él no era su padre. Al poco tiempo se murió la mujer del Sultán y tampoco les dijo que ella no era su madre.

Los dos niños y la niña hicieron una casita junto al Palacio, y se fueron a vivir allí los dos hermanos y la hermana.

Pues señor, ya eran mocitos y la distracción que tenían era irse de cacería: los hermanos le pedían permiso a su hermana, y si les decía que sí, iban, y si les decía que no, no iban.

Un día, cuando los hermanos se habían ido de cacería, llegó una vieja,[6] y le dijo a la niña: mira, niña, a esta casa le faltan tres cosas; y ella le preguntó qué le faltaba. La vieja le dijo que faltaba *el agua amarilla,* el pájaro que habla y el árbol que canta, y se fue corriendo.

La niña se quedó muy apurada, vinieron los hermanos de la cacería, y le preguntaron que qué tenía, y la hermana les dijo que nada; pero a fuerza de mucho ruego

---

[4] Obsérvese el proceso de degradación: primero presentan un perro, luego un gato, y por fin, un pedazo de corcho. Se produce animalización y cosificación.   [5] Exhibida como un animal, ya que ha dado a luz seres tan extraños.
[6] Típica en todos los cuentos de hadas.

les confesó que lo que tenía era que había llegado una vieja y que le había dicho que a aquella casa le faltaban tres cosas: el agua amarilla, el pájaro que habla y el árbol que canta.

Entonces el hermano mayor dijo: pues yo voy a buscar *el agua amarilla*, el pájaro que habla y el árbol que canta, y le dio a la hermana un cuchillo previniéndole que cuando lo viera ensangrentado era que estaba en peligro.

Pues señor, que se va el hermano y se encontró a un ermitaño,[7] y le dijo que si sabía dónde estaba el agua amarilla, el pájaro que habla y el árbol que canta.

Entonces el ermitaño le dijo que era inútil que fuese, que todos los que habían ido habían quedado encantados.[8] Él respondió que si le daba razón, bien; y si no, que ya iba andando; entonces el ermitaño le dijo: toma esta bola, tírala y llegarás al pie de un monte, empezarás a subir y por muchas voces que te den, no vuelvas la cara atrás, porque si no te quedarás encantado en una piedra negra.

Se fue el niño, tiró su bola y llegó al pie del monte, empezó a subirlo y como daban muchas voces, volvió la cara atrás y se quedó hecho una piedra negra.

Al otro día por la mañana miró el cuchillo su hermana y vio que estaba ensangrentado; entonces le dijo al otro hermano que si él no iba a buscar a su hermano, que se iba ella.

Al otro día por la mañana se fue el otro hermano a buscar a su hermano y le pasó lo mismo; aquél le dejó a

---

[7] Otro personaje propio de este tipo de cuentos. Suele favorecer al héroe con algún tipo de ayuda, en palabras o en hechos. [8] Se trata, pues, de un cuento de encantamiento.

su hermana un espejo[9] y le dijo que cuando lo viera turbio era que él estaba en peligro.

Al otro día por la mañana miró la hermana el espejo y vio que estaba turbio. En aquella misma hora se puso en marcha para buscar a los dos hermanos y se encontró con el ermitaño, y le preguntó que si sabía dónde estaba el agua amarilla, el pájaro que habla y el árbol que canta.

El ermitaño le dijo que no fuera a buscarlo porque habían ido dos mocitos y no habían vuelto, que regularmente se habrían quedado encantados. Entonces le dijo la niña que si no le daba razón de ellos que se iba. Y le dijo el ermitaño: toma esta bola, tírala, llegarás al pie de un monte, cuando empieces a subir por él, por muchas voces que te den, no vuelvas la cara atrás, porque te quedarás hecha una piedra negra; cuando llegues arriba verás al pájaro que habla, ponle la mano encima y ya puedes mirar a todas partes.

Entonces le dijo la niña que si tenía por allí alguna cosa con que taparse los oídos, y el ermitaño le dio unos trapos y se tapó los oídos; luego echó a andar y tiró su bola y llegó al pie del monte y empezó a subir el monte.

Cuando iba subiendo le daban muchas voces, pero ella no volvía la cara atrás. Al fin llegó a lo último del monte y vio al pájaro que hablaba, le puso la mano encima y ya pudo volver la cara atrás. Entonces dijo el pájaro: *al fin una pícara mujer me había de coger*.[10] La niña le preguntó dónde estaba el agua amarilla y el árbol que canta,

---

[9] Los espejos suelen hacer de intermediarios entre la realidad y la fantasía.   [10] La expresión es machista, aunque parezca un piropo a la joven.

y el pájaro le enseñó dónde estaba el agua amarilla y el árbol que canta.

La niña llenó dos cántaros de agua y el pájaro va y le dice: mira, cada hoja de ese árbol es un canto diferente; entonces la niña cortó una rama y luego preguntó al pájaro con qué podría resucitar a todos los que estaban allí encantados.

El pájaro le señaló una fuente y le dijo que cogiera de allí agua y regara todas las piedras negras. Fue, cogió el agua y empezó a regar todas las piedras negras, y fueron resucitando[11] todas las personas que había allí.

Salieron sus hermanos, ella cogió el pájaro que hablaba; un hermano el agua amarilla, y el otro el árbol que canta, y se fueron a su casa.

La hermana puso el pájaro en el corredor, el árbol en el jardín y el agua en una pila del jardín. Al otro día se fueron los hermanos de cacería y el Rey se los encontró y les dijo que tendría mucho gusto en que fueran a comer a su casa. Los niños le dijeron que se lo dirían a su hermana y, que si ésta quería, que irían.

Cuando llegaron a su casa se lo dijeron a su hermana, y su hermana lo consultó con el pájaro, y el pájaro le dijo que sí, que fueran, y que después ellos lo convidaran también para el otro día siguiente.

Fueron los niños a comer a casa del Rey, y así que comieron les estuvo enseñando todo el palacio. Cuando acabaron dijeron los dos hermanos al Rey que tendrían mucho gusto en que fuera a comer a su casa. El Rey contestó que bueno, que iría. Se fueron los niños a su casa y

---

[11] Volviendo a su forma original, desencantándose.

le dijeron a su hermana que al otro día iba a comer el Rey.

La niña preguntó al pájaro qué le iba a poner de comer. El pájaro le contestó que comprara un pepino y que lo rellenara de perlas y se lo pusiera en un plato, y ella le dijo que de dónde las iba a sacar. El pájaro le contestó que fuera al jardín, y al pie del árbol que escarbara y allí encontraría un arquita llena de perlas.

Al otro día, cuando fue el Rey, la niña le puso un pepino en un plato. Cuando el Rey lo partió le dijo que quién había visto comer pepinos rellenos de perlas, y entonces le dijo el pájaro que quién había visto que una mujer tuviese un perro, un gato y un corcho ensangrentado.

Entonces el Rey preguntó: ¿pues qué fue lo que tuvo? y le dijo el pájaro: *los tres infantes que tienes delante.* El Rey los abrazó y se los llevó a palacio, sacaron a la madre de donde estaba y se la llevaron también, preguntándole qué deseaba que se hiciese a sus hermanas, y ella contestó que nada, que *las desterraran y que Dios les ayudara.*

Yo fui y me atraqué de queso y ahí queda eso.

(Sevilla.)
José Luis Ramírez[12]

[12] Recopilador del cuento, que lo tomó, según propia confesión, de labios de su hermana, de doce años. Aquí he modernizado la puntuación y la acentuación, efectuando levísimas correcciones de estilo.

La princesa encantada

Éste era un pescadó[1] que iba ar mar a pescá y un día cogió un pe que le habló y le dijo:

—No me coja. Écheme en el agua.

Y er pescadó lo echó en el mar.

Y ar[2] día siguiente le pasó lo mismo y ar día siguiente lo mismo. Y ya a lo tre día que le había pasao eso llega a su casa y le dice a su mujé:

—Anda mujé, que me he venío de la pesca porque ya por tre día he cogío a un pe la mar de grande y me dice que lo suerte y lo eche en er mar, y como me da miedo he dejao la pesca y me he venío a casa.

Y la mujé le dijo que era tonto, que pa qué lo había echao en el mar depué de cogerlo. Pero é ni quiso ya í a pescá.

Y ar poco tiempo se embarcó su hijo en un barco en un viaje mu[3] largo. Y por la noche cuando se acostaba a dormí sentía que arguien se acostaba con é pero é no

---

[1] La pérdida de consonante final es muy común en el dialecto andaluz. En este texto es corriente la de /s/ y la de /r/, por lo que aparecerán tildes en palabras como *mujé, lugá, esperá, corré*, etc. [2] La conversión del fonema /l/ en / r/, y viceversa, lleva a la confusión «ar» en lugar de «al»; «caramales» en lugar de «calamares»; «Árola», en lugar de «Álora»; etc. [3] La pérdida de la semiconsonante /y/ al final de palabra supone en este caso un apócope, entre otras causas, por economía del lenguaje.

podía ve naa. Y eso le pasó toa la noche durante er viaje.

Y cuando gorvió[4] a su casa le contó a su mare lo que le había pasao.

Y era que dormía con é una princesa que é no podía vé y esa princesa era er pe que su pare[5] cogía.

Y ya cuando partió pa otro viaje por mar la mare le metió un caja e[6] cerillos en er borsillo.

Güeno, pue salió er buque ar mar y la primera noche que er muchacho se fue a acostá, sintió que otra ve se acostaba arguien con é pero é no podía ve na. Y sacó un cerillo e la caja y lo encendió y ar momento vio sentá a su lao una hermosa dama que le dijo:

—Con eso me has perdido. Ya staba[7] pa desencantarme, pero ahora tiene[8] que í[9] a buscame[10] ar Castillo de Irás y no Volverás. Yo te diré cómo has de hacé. Llegas y saldrá una serpiente y la matas, y de ella saldrá una liebre. Y coges la liebre y la matas y de ella saldrá una paloma. Y coges la paloma y le sacas un güevo que tiene. Y ese güevo lo estrellas en la frente der gigante y así morirá er gigante que me tiene encantá y yo quedaré libre y me casaré contigo.

Y en diciendo[11] eso la dama se desapareció.

Y entonce se puso é mu triste porque no sabía cómo í ar Castillo de Irás y no Volverás.

---

[4] La conversión del fonema /b/ en /g/ es también muy común en el habla popular andaluza, por ejemplo en términos como *agüelo*, en lugar de *abuelo* [5] Es más frecuente *mare* por *madre* que *pare* por *padre*, y tiene cabida en numerosas letras de cante jondo. [6] *e*: de. [7] *ya staba*, se produce fusión de las sílabas *ya* y *es* (sinalefa). [8] *tiene*: tienes. [9] *í*: ir. [10] *buscame*: buscarme. [11] *en diciendo*: diciendo (forma arcaica).

Y cuando gorvió de su viaje le contó a su mare lo que le había pasao, y ella le dijo:

—No tiene má remedio, hijo, que marcharte a buscá ese castillo pa[12] que te cases con la princesa esa.

Y se marchó a buscá er castillo.

Güeno, pue iba por su camino cuando encuentra a cuatro animale, que se estaban peleando por un caballo muerto, y eran un león, un gargo, un águila y una hormiga. Y dice é:

—Voy a hacé la partición entre estos animale.

Y ar león le dio la pata y el espinazo, ar gargo le dio la tripa, ar águila er corazón y a la hormiga la cabeza pa que entrara y saliera por onde[13] quisiera. Y se marchó. Y ar poco de marcharse lo llamaron los animale y dijo é:

—Vamo, que depué de que le he dao a ca uno su parte me van a comé a mí.

Y ya le dijo er león:

—Ya que uté[14] ha hecho la partición entre nosotros vamos a hacerle ca[15] uno un regalo pa que vea que tenemo agradecimiento.

Y se sacó er león un pelo e lo bigote y se lo dio y le dijo:

—Ca ve que uté quiera gorverse león dice «Dios y león» y se güerve león.

Y er gargo se sacó también un pelo e su bigote y se lo dio y le dijo:

—Cuando uté diga «Dios y gargo» se güerve gargo.

Y el águila entonce va y se saca una pluma y se la da y le dice:

---

12 Apócope de *para*, muy frecuente en el habla popular. 13 *onde*: donde.
14 Probablemente se ha producido una aspiración del fonema /s/ antes del fonema /t/ (*usté*) y luego la pérdida del fonema /s/. 15 *ca*: cada.

—Cuando uté diga «Dios y águila» se gorverá águila.

Y entonces dice la hormiga:

—Y yo, ¿qué le daré a uté? Si le doy una patita queo[16] cojita, y si le doy una manita queo manca. Pero no importa; le vi[17] a da una manita aunque quede manca.

Y le dio una mano y le dijo:

—Siempre que uté diga «Dios y hormiga» se gorverá hormiga.

Y con too[18] eso se fue otra ve por su camino a vé si encontraba er Castillo de Irás y no Volverás.

Y ya por la tarde llegó a una dehesa onde staban una cabra mu flaca y le preguntó a una niña que la cuidaba:

—Niña, ¿por qué stá esa cabra tan flaca?

Y le contesta la niña:

—Porque hay una fiera aquí que se come a toa la cabra gorda.[19]

Y entonces é le dice:

—¿Ónde stá la fiera?

—Aquí cerca, en este lugá —le contesta la niña.

—¿A qué hora sale?

—Sale a las doce —dice la niña.

Y entonces se va a esperá a que sarga la serpiente. Y no había esperao mucho cuando siente a la serpiente que viene arrasando too y haciendo un ruido que se oía a siete legua. Y dice é:

—Dios y león.

---

[16] *queo*: quedo.   [17] *vi*: voy.   [18] *too*: todo.   [19] *toa la cabra gorda*: todas las cabras gordas.

Federico de Madrazo y Kuntz:
Cecilia Böhl de Faber, «Fernán Caballero»

Juan Ramón Jiménez

Y ar momento se gorvió león y se le fue encima a la serpiente. Y estuvieron peleando un largo rato hasta que la fiera pidió tregua.

Y entonces le dice é:

—Con un vaso e vino y un pan caliente y er beso de una doncella te daba yo la muerte.

Y fue la niña y se lo contó too a su padre, y su padre le dijo:

—Si lo güerve a decí dale too lo que pide pa que mate a la fiera.

Y ya se fue la niña con un vaso e vino y un pan caliente pa si gorvía a pedí eso.

Y gorvieron a la pelea y pelearon un largo rato cuando otra ve[20] la serpiente pidió tregua.

Y entonce dijo é otra ve:

—Con un vaso e vino y un pan caliente y er beso de una doncella te daba la muerte.

Y se acerca entonce la doncellita y le dice:

—Toma.

Y le dio er vaso e vino y er pan caliente, y un beso.

Y con eso ya gorvieron otra ve a la pelea y mató er león a la fiera.

Y ar momento salió de la fiera una liebre que echó a corré.

Y dijo er muchacho:

—Dios y gargo.

Y echó er gargo a corré y cogió la liebre. Pero ar momento que la cogió y la mató salió de la liebre una paloma y echó a golá.[21]

---

[20] *ve*: vez.   [21] *golá*: volar.

Y dijo é entonce:

—Dios y águila.

Y echó a golá detrá de la paloma hasta que la cogió. Y la mató y le sacó er güevo. Y se echó er güevo en er borsillo y se fue a la casa de la niña y les dijo:

—Utées[22] son dueños de too ese terreno onde vivía la fiera, que yo ya me voy pa mi tierra.

Y ello le decían que se quedara con ello, pero é les dijo que no podía, que tenía que marcharse pa su tierra a comprí[23] una promesa. Y se marchó pa su casa.

Y andando, andando ya llegó otra ve a su casa y le dijo a su mare que ya había matao a la fiera y ahora iba a buscá ar gigante pa matalo.

Y se marchó y anduvo mese y mese sin podé encontrá er Castillo de Irás y no Volverás onde vivían er gigante y la princesa.

Y desde que mató a la fiera ya er gigante empezaba a enfermá y le daba malo rato a la princesa.

Y ya un día llegó er muchacho ar Castillo y vio que tenían too cercao y naire[24] podía entrá. Y va y dice:

—Dios y hormiga —y se gorvió hormiga y se metió en el Castillo y en la habitación de la dama.

Y ella cuando le[25] vio se asustó y dio un grito. Y a lo grito que daba llegó er gigante y anduvo registrando too. Pero ya er hombre se había güerto hormiga y naire lo podía vé. Y se fue er gigante mu enfadao y le dijo:

—Si me güerves a despertá te mato. No hay naire aquí, que too stá cerrao.

---

[22] *Utées*: ustedes. [23] *comprí*: cumplir. [24] *naire*: nadie. Es más corriente la forma *nadie*. [25] Leísmo. Sería más correcto *lo*.

Y aluego[26] que se fue er gigante entra la hormiga otra ve en er cuarto e la dama y al entrá se güerve hombre y se acerca a hablá con ella. Y entonces ella de miedo que el gigante no la matara no gritó. Y é entonce le habló y ella le conoció y ya hablaron de cómo iban a matá ar gigante.

—Mira —le dijo é—, mañana me güervo águila y tú sales al portal y dices que me cojan y me metan en tu cuarto. Y entonce veremos cómo sargo a matá ar gigante, que ya he matao a la fiera y aquí traigo er güevo pa estrellárselo en la frente.

Güeno, pues el otro día va y dice:

—Dios y águila —y se gorvió un águila y empezó a goletear[27] por allí.

Y le dice la dama ar gigante:

—¡Ay, mira qué águila má preciosa! Cógemela y métela en una jaula, que la quiero llevá a mi cuarto.

Y mandó er gigante que cogieran el águila y la cogieron y la metieron en una jaula y la llevaron a la habitación de la princesa.

Y así tuvo tiempo pa tratá de cómo iban a matá ar gigante.

Y le dijo ella:

—¿Ónde stá er güevo?

Y sacó é er güevo de su borsillo y se lo dio.

Y dijo ella entonce:

—Mañana cuando lo espurgue se lo estrello en la frente.

---

[26] *aluego*: luego. Añadir un fonema o una sílaba al principio de un término se denomina prótesis. Ocurre en vocablos como *arradio, estijeras*, etc. [27] *goletear*: voletear, revolotear.

Y al otro día salió er gigante a que la dama lo espurgara como tenía costumbre. Y cogió ella er güevo y se lo estrelló en la frente. Y dio er gigante un estallido y espiró[28] y too er castillo quedó desencantao y ella quedó libre y se casó con er muchacho.

[28] *espiró*: expiró, murió.

La adivinanza del pastor

Había una vez un rey que tenía una hija que siempre estaba aburrida y a quien nadie ni nada conseguían divertir. El rey decidió que le convenía casarse y proclamó un bando diciendo que aquél que propusiese a la princesa una adivinanza que ella no lograse acertar, se casaría con ella; pero que mataría a todo aquél a quien ella se la acertara. De todas partes llegaron príncipes y nobles a proponerle acertijos a la princesa, pero ella siempre los acertaba y todos morían.

Un pastor, que vivía muy cerca del palacio, se enteró de lo que ocurría y dijo a su madre:

—Madre, prepárame comida para el camino que voy a presentarle un acertijo a la princesa, a ver si consigo casarme con ella.

—¡Estás loco, hijo! —respondió la madre—. ¿Cómo quieres hacer lo que no han conseguido personas más preparadas que tú?

—¡No me importa, madre! —replicó el pastor. —Prepárame la comida mientras voy a por la mula.

La madre estaba muy preocupada, y como prefería que su hijo muriese antes de llegar al palacio, envenenó tres panes. El pastor cogió su escopeta, se montó en la mula y se marchó.

De camino, vio una liebre, cogió la escopeta, apuntó pero falló. Al rato una liebre saltó ante él y, en esta ocasión, sí que pudo cazarla. Entonces se dijo: «Ya tengo una parte del acertijo: *Tiré a la que vi y maté a la que no vi*». Entonces se dio cuenta que la liebre estaba preñada y, abriéndola, le sacó los gazapos, los asó y se los comió al tiempo que pensaba: «Ya tengo otra parte del acertijo: *Comí lo engendrado, pero no nacido ni criado*».

Mientras él se comía los gazapos, la mula se comió los tres panes envenenados y murió. Entonces llegaron tres grajos y se comieron las tripas de la mula, por lo que también murieron, entonces el pastor dijo: «Pues ya tengo el final del acertijo: *Mi madre mató a la mula y ésta mató a tres*».

Emprendió de nuevo el camino y llegó al palacio. Pidió permiso para plantear el enigma[1] a la princesa y cuando fue conducido a su presencia le dijo:

«Tiré a la que vi
y maté a la que no vi.
Comí lo engendrado,
pero no nacido ni criado.
Mi madre mató a la mula
y ésta mató a tres.
Acertarme vos[2] lo que es»

---

[1] *enigma*: dicho o sentencia en que la imagen se corresponde de forma oscura con la realidad que define.   [2] Dar a alguien el tratamiento de *vos* recibe el nombre de *vosear*. Se utiliza ante personajes de cierta prosapia, aunque en Iberoamérica es corriente en lugar del *tuteo*.

La princesa se puso a pensar pero no conseguía dar con la solución. El rey le concedió tres días para resolverlo y, entre tanto, el pastor se quedó a vivir en palacio.

La primera noche la princesa envió a una de sus doncellas a la habitación del pastor para ver si conseguía con sus mañas sonsacarle la solución. La doncella le dijo:

—Señor, vengo a pasar la noche con vos y a que me digáis la solución.

Pero el pastor no soltó prenda en toda la noche.

A la noche siguiente la princesa envió a otra de sus doncellas y ocurrió lo mismo que con su antecesora. Finalmente la princesa decidió ir ella misma y el pastor le dijo que se la daría al amanecer. Pero, cuando se despertaron, ya habían transcurrido los tres días y el pastor le dijo que no tenía por qué revelarle la solución.

Horas más tarde dijo el rey a su hija:

—Pues bien, el pastor ha ganado, tú no has encontrado la solución y por lo tanto tendrás que casarte con él.

La princesa protestó diciendo que no quería casarse con un pastor y que sólo lo haría si él era capaz de hacer tres cosas.

El pastor preguntó qué era lo que tenía que hacer y la princesa le contestó:

—Primero, tienes que llevarte al campo cien liebres, ponerlas a pastar y regresar con ellas a la tarde sin que ninguna se te haya perdido. Lo tendrás que hacer tres días seguidos. Después te encerrarás en una habitación con cien panes y deberás comértelos en un día. Y, en tercer lugar, tendrás que separar en una sola noche el grano de cien fanegas de trigo mezcladas con cien de cebada. Y por último, tendrás que decir mentiras tan grandes que nadie pueda decir que ni una no lo es. Si no logras hacer todo esto, morirás.

El pastor salió muy afligido del palacio, pensando que de nada le había servido el acertijo, cuando se encontró con una hechicera que le dijo:

—¿Por qué estás tan apenado?

El pastor le contó lo sucedido y lo que ahora le pedían que hiciese si no quería morir.

—No te preocupes — le dijo la hechicera— yo te ayudaré. Toma esta flauta y sal mañana con las cien liebres. Déjalas hacer lo que quieran y cuando sea la hora de regresar al palacio toca la flauta y todas acudirán corriendo adonde tú estés.

Al día siguiente el pastor salió con las liebres y las dejó libres durante todo el día, a la hora de regresar tocó la flauta, como le había dicho la hechicera, y las liebres acudieron junto a él sin que faltase ninguna.

La princesa y todos los habitantes del palacio quedaron maravillados al verlo regresar con las cien liebres.

Al día siguiente el rey ordenó a uno de sus criados que fuera a quitarle al menos una liebre. El criado le dijo al pastor que le compraba una por mucho dinero pero el pastor le contestó que no deseaba vender ninguna ni por todo el oro del mundo. El criado regresó y contó al rey lo sucedido. Entonces éste decidió ir él mismo disfrazado. Al llegar junto al pastor le dijo:

—¿Cuánto queréis por una liebre, buen hombre?

—Dinero no quiero, pero si me besáis el culo, os la regalo, contestó el pastor.

El rey se indignó pero pensó que era mejor eso que permitir que su hija se casase con un pastor. Por eso accedió y le dio el beso. El pastor entonces le entregó la liebre, como había prometido.

Pero cuando el rey regresaba a su palacio con la liebre entre sus brazos, el pastor tocó la flauta y la liebre, pegando un brinco, empezó a correr para reunirse con el muchacho.

Por la noche el rey tuvo que reconocer que había superado satisfactoriamente la primera prueba.

El pastor seguía preocupado, pues debía comerse cien panes en un solo día. Entonces se le apareció de nuevo la hechicera y le dijo:

—No te preocupes. Sólo tienes que tocar la flauta y vendrán muchas aves y se comerán los panes.

Así lo hizo el pastor. Tocó la flauta y muchos pájaros entraron por la ventana y empezaron a comerse los panes sin dejar ni una sola migaja.

Superada también la segunda prueba, el rey mandó que encerrasen al pastor con las cien fanegas de trigo mezcladas con las cien de cebada para que las separase en una noche.

El pastor seguía apenado pero otra vez se le apareció la hechicera y le dijo:

—Toca la flauta y duerme tranquilo, las hormigas se encargarán de separar el trigo de la cebada.

Efectivamente, cuando el pastor se despertó vio los dos montones, debidamente separados, en la habitación.

Entonces se presentó ante el rey, la princesa y la corte y dijo:

—Las tres pruebas ya están superadas.

Pero el rey añadió:

—Sí, pero aún tienes que decir las mentiras más grandes que uno pueda imaginarse.

—Está bien, señor —respondió el pastor— ahora os las diré.

Estas doncellas que aquí véis pasaron, cada una, una noche conmigo al igual que la princesa y vos mismo me disteis, a cambio de una liebre, un beso en el...

—¡Basta! ¡Basta! —gritó el rey—. ¡Ya he oído bastantes mentiras por hoy!

Y así fue como finalmente el pastor se convirtió en el marido de la princesa con la que vivió feliz el resto de sus días.

Fernán Caballero

Un quid pro quo

Cecilia Böhl de Faber
(Fernán Caballero)

Nació en diciembre de 1796 en Morgues (Suiza), de padre alemán y madre gaditana, uno y otra preocupados por la recuperación del folclore español.

Tras enviudar de su primer esposo y pasar una temporada en Alemania, volvió a contraer matrimonio, esta vez con el Marqués de Arco Hermoso, con quien se instaló en Sevilla.

En las posesiones de su segundo marido en Dos Hermanas, empezó a reunir todo lo que oía a la gente del campo, reuniendo así multitud de cuentos, adivinanzas, refranes, poemas, de origen popular, que guardaba y luego publicaba en recopilaciones o incorporándolos a sus propias obras.

Asimismo escribió novelas como *La gaviota, La familia de Alvareda* y *Clemencia*, que la hicieron famosa tras el seudónimo de Fernán Caballero.

Gozó de la amistad y admiración de la reina Isabel II y de la infanta María Luisa Fernanda. Murió en Sevilla en el año 1877.

Un quid pro quo

No contamos[1] un cuento: referimos un hecho en toda su sencilla verdad, tal cual salió de la boca del editor responsable, que es un boyero. Aquel a quien asuste la fuente, el chorro y el recipiente, esto es, el boyero, su relación y el trasladante que va a poner en letras de molde lo que recogió, que no lo lea, puesto que si supiésemos que íbamos a ser leídos con prevención se tornaría la ligera pluma que tenemos en la mano en un inamovible barrón.[2]

Hay en uno de los pueblos de Andalucía, que alza sus blancas casas bajo un cielo que crió Dios sólo para cobijar a España, desde Despeñaperros hasta la ciudad que defendió Guzmán el Bueno,[3] un convento, abandonado como todos, gracias al *progreso de las ruinas,* situado sobre una elevación del terreno, a fin de una ancha y solitaria calle, a la que dio su nombre San Francisco; es hoy más propiamente que nunca la última casa del lugar. Eleva el convento su grandiosa puerta hacia el pueblo y extiende su huerta en el campo. Hubo en esta huerta muchas palmeras; hay ancianos que las recuerdan,

[1] Plural de modestia, en lugar de «no cuento». [2] *barrón*: aumentativo de barra, muy pesada, por tanto, imposible de manejar sobre el papel. [3] Tarifa.

pero sólo quedan dos, unidas como hermanas.[4] Hubo en el convento muchos religiosos, pero ya no queda sino uno solo. Las palmas se apoyan una en la otra; el religioso, en la caridad de los fieles. Todos los martes viene a decir una misa en aquella magnífica iglesia abandonada, que ya no tiene campana para llamar a los devotos. ¡No hay voces con que expresar los sentimientos que inspira el ver en este suntuoso templo al venerable anciano ofrecer en silencio y soledad el augusto sacrificio! No puede uno menos de figurarse que aquel sagrado recinto está lleno de espíritus celestes, entre los cuales sólo el sacrificante[5] está visible. La iglesia es de una altura portentosa, y tan apacible y alegre, que parece que sólo se edificó con el fin de que en ella resonase el sublime himno del *Tedéum* o el no menos sublime cántico del *Gloria*.

El altar mayor, primorosamente esculpido en el género churrigueresco,[6] deslumbra con la multitud de flores, frutas, guirnaldas y cabezas de ángeles dorados, que ostentan con tal profusión y tal brillo, que prueba que al labrarlo no entraron en cuenta ni el tiempo ni el gasto. ¿Para qué sirve el oro hoy en día? ¿Para qué el tiempo? ¿Empléase mejor? El que nos afirme que sí nos consolará de la supresión de los conventos. Mientras no, lloraremos sobre aquel grandioso coro, aquellas ricas capillas, aquel soberbio tabernáculo, frío y vacío como el corazón del incrédulo. ¡La incredulidad! Ella es el gran

---

[4] Aunque puede haber una leve alusión a la villa de Dos Hermanas, en Sevilla, difícilmente se puede tratar de esa localidad.   [5] El sacerdote.   [6] Estilo arquitectónico empleado por José Benito Churriguera y otros artistas españoles del siglo XVII.

triunfo que logra la materia sobre el espíritu, la tierra sobre el cielo, el ángel apóstata sobre el ángel de luz.

La plazuela que separa el convento de la ancha calle que a él conduce está cubierta de hierba; allí sueltan los carreteros sus bueyes en horas de descanso. Al entrar en el compás, en lugar de escalones, se sube una pequeña cuesta terraplenada;[7] a los lados sostienen la tierra unos poyos[8] de mampostería;[9] al frente está la puerta de la iglesia; a la derecha una capilla de la Orden de los Terceros;[10] a la izquierda se sigue para buscar la portería.

Lector, si eres afecto a las cosas de la vieja España, acude aquí. Aquí aún está en pie la iglesia; aún vegetan sin cultivo las dos palmas; aún existe un fraile franciscano que dice misa en la escueta iglesia; aquí aún hay boyeros que refieren sucesos en los que se aparea lo religioso y lo festivo, con esa buena fe y sanidad de corazón del niño que juega con las veneradas canas de su padre, sin creer por eso que le falta al respeto. Pero acude pronto, porque antes de mucho desaparecerá todo esto, y habremos de llorar sobre ruinas,[11] a las que lo pasado prestará toda su magia, como para vengarlas.

El tercer día de la semana brillaba puro y alegre, ignorando sin duda la calidad de aciago que le prestan los hombres y muy ajeno de que un refrán su enemigo le quiera privar del placer de ser testigo de bodas y embarques. Un martes,[12] pues, ajeno de toda influencia

[7] En pendiente.   [8] *poyo*: banco de piedra, yeso u otro material adosado a una pared.   [9] Con piedra sin labrar, puesta a mano.   [10] Los que profesan la *tercera* orden de, en este caso, San Francisco.   [11] El tema de las ruinas dio mucho juego a la literatura del siglo XIX.   [12] Si el martes es el tercer día de la semana, Fernán Caballero toma el orden judaico: para ella el domingo es el primer día.

o mira hostil, como si fuese domingo, subía la calle de San Francisco una señora, que es la que nos ha referido lo que vamos a contar. Se dirigía al convento vacío para oír la misa de los martes, en la que Dios iba a llenar aquel templo abandonado con su Augusta Majestad.

Cuando llegó, aún no había venido el sacerdote y la iglesia estaba todavía cerrada. Sentóse en el compás,[13] sobre uno de los poyos de mampostería, entre tanto que llegaba el padre. La mañana estaba tan fresca, que hacía dulces los rayos del sol. En frente de ella veía descollar las palmeras como dos nobles gemelas, que lloraban, sin doblarse ni humillarse, su persecución y abandono. Los bueyes tendidos en la plazuela rumiaban pausadamente, y tan inmóviles, que se posaban los pajarillos en sus astas. Las lagartijas se paseaban por las paredes, de que eran dueñas absolutas, en un vergel de alcaparras,[14] de rosadas flores y de parietarias,[15] mirándolo todo con sus grandes e inteligentes ojos. En el esmalte del cielo... (mal decimos: ¿quién hace esmalte que se parezca a ese cielo?) vagaban blancos y ligeros celajes,[16] como el humo de un puro sacrificio en gloria del Altísimo. Era una mañana en que era dulce el vivir; tanto hacía olvidar la Naturaleza los estrechos círculos con que nos agitamos con afán y en los que vivir es una fatiga.

Dos boyeros se sentaron en el mismo poyo que la señora.

---

[13] Atrio o zona alrededor de un monasterio.   [14] Plantas espinosas cuyos frutos se usan como condimento o como entremés.   [15] Plantas herbáceas que crecen junto a las paredes y se han usado frecuentemente en la medicina popular para hacer cataplasmas.   [16] *celaje*: aspecto que presenta el cielo cuando hay nubes tenues y de diversos matices.

Un andaluz no se corta nunca; el sol puede eclipsarse, la serenidad de un andaluz no se eclipsa en la vida de Dios. El sultán Harum-Araslchid,[17] si hubiese reinado en Andalucía, hubiera podido ahorrarse los disfraces de que usaba para mezclarse entre su pueblo, sin imponerle cortedad. No es debido esto a que menosprecie las superioridades este pueblo, no; es que si bien se quita el sombrero ante una superioridad, no agacha la cabeza. Así fue que, aunque esa señora era una de las principales del pueblo y aunque había otros asientos, aquél les pareció el más bonito, y en aquél se sentaron a *platicar*,[18] sin cuidarse de ser oídos.

En los países del Norte la gente del campo es perfectamente buena y perfectamente estúpida; piensa poco y habla menos; pero en Andalucía el pensamiento vuela y la palabra le sigue. Pueden quedarse estas gentes sin comer y sin dormir dos días sin mayor molestia; pero callados dos minutos, eso no puede ser. Si no tienen con quién hablar, cantan.

—Hombre —le dijo el uno al otro—, no puedo mirar aquella capilla de los Terceros sin acordarme de mi padre, que era hermano, y cuando yo era muchacho me traía aquí todas las noches a rezar el rosario, que a la oración rezaban los hermanos.

—¡Cristiano! ¡Y qué hombre era tu padre! ¡Ya no los hay de aquella cantera![19]

—¡Qué ha de haber! Los hombres, hoy por hoy, son un hato de haraganes, sin más devoción que la de San

---

[17] Harún al Raschid ibn Mahdi (763-809), califa de la dinastía abbasida de Bagdad. [18] *platicar*: conversar, charlar. [19] De aquel ingenio, de aquella calidad.

Rorro, patrón de los borrachos... Decía mi padre, en gloria esté, que desde la guerra de la guillotina del francés se torció el carro... Pero vamos al caso: me contaba su merced un suceso acaecido en este convento... Acudía toda la gente de este barrio a los frailes para que asistiesen a bien morir... Hoy en día más de cuatro se van al otro mundo como perros o judíos... Quedábase, pues, todas las noches un padre velando y listo por si lo requerían, e iba eso por turnos. Una noche que le tocó la vez a un padre muy conocido y bien visto en el pueblo, que se llamaba el padre Mateo, vinieron a llamar tres hombres a la portería, requiriendo a un religioso para que fuese a auxiliar a uno que se estaba muriendo. El portero avisó al padre Mateo, que bajó tan luego. Pero apenas se había cerrado la puerta del convento, los tres hombres le dijeron que era preciso que a buenas o a malas se dejase vendar los ojos. Al padre le hizo aquello una gracia como si le sacasen las muelas; pero ¿qué había de hacer el santo varón sino agachar las orejas? Porque aunque era un mocetón como un trinquete,[20] que tenía buenos puños para defenderse, aquellos eran tres, era gente del bronce[21] y venía armada. Además, tampoco podía su merced desatender a su ministerio, y sólo Dios sabía las intenciones de los que lo llamaban. Así fue que se dejó vendar, y dijo: «¡A Roma por todo!»

Nadie puede saber las calles que le hicieron andar: por ésta me entro, por estotra me salgo, hasta que lle-

---

[20] *como un trinquete*: estar robusto, por ser el trinquete uno de los palos principales de un barco.   [21] Maleantes en general.

garon a un casucho, lo subieron por una escalera, lo empujaron en un cuarto y lo encerraron. Quitóse la venda, pero todo estaba oscuro como boca de lobo; oyó entonces un gemido hacia un rincón de la estancia.

—¿Quién se queja? —preguntó el padre Mateo.

—Señor, soy yo —contestó una voz lastimera de mujer—; aquí me tienen esos malvados, que me quieren matar después que me haya puesto bien con Dios. ¡Esto es una iniquidad! ¡Padre, por María Santísima, por la sangre de Cristo Nuestro Señor, por los pechos que lo criaron, padre, sálveme usted!

—Hija, ¿y cómo podré yo salvarte? —respondió el padre Mateo—. ¿Qué puedo yo solo contra tres hombres armados y sin conciencia?

—En primer lugar, desáteme usted —dijo acongojada la mujer.

—El padre Mateo se puso a tientas y como Dios le dio a entender a desatar los nudos de las cuerdas que le ataban a aquella infeliz las manos y los pies; pero estaban apretados, no se veía y el tiempo volaba como si un toro corriese tras él.

Llamaron a la puerta.

—¿No ha despachado usted, padre? —preguntó uno de los hombres.

—¡Ea!, no dar prisa —contestó el padre, que tenía el corazón bien puesto, pero que no acertaba cómo salvar a aquella infeliz, que temblaba como una azogada y lloraba como una fuente—. ¿Qué hacemos? —decía el pobre señor condolido y asombrado.

Como las mujeres son capaces de discurrir tretas hasta con un pie en el hoyo, discurrió ésta esconderse debajo de la capa del padre Mateo, que, como ya dije, era un hombrón que no cabía por esa puerta.

—Mal medio es —dijo su merced—; pero a no haber otro, preciso es valerse de él y salga el sol por Antequera.

Púsose cerca de la puerta, llevando a la mujer debajo de su capa.

—¿Acabó usted, padre? —preguntaban los desalmados aquellos.

—Acabé —contestó el padre Mateo, al que no llegaba la camisa al cuerpo.

—Señor, no me desampare usted —gemía la mujer, más muerta que viva.

—¡Calla! ¡Encomiéndate al Señor de los Desamparados y sea lo que Dios quiera! —contestaba éste.

—¡A vendarse, y ligero! —dijeron los hombres, volviendo a cubrirle los ojos; y cerrando la puerta con llave, bajaron los tres custodiando al padre, no fuese a quitarse la venda y conocer el paraje en que se hallaba.

Después de dar las mismas vueltas y revueltas, se hallaron en la calle de San Francisco; entonces los tres a la vez echaron a correr y desaparecieron como por ensalmo.

Apenas se hubieron ido, cuando le dijo el padre Mateo a la mujer:

—Ea, ahora, hija mía, pon los pies en polvorosa y ve[22] dónde te escondes, que yo no puedo llevarte al convento. No me des las gracias, sino a Dios, que te ha librado; no te detengas, que aquellos forajidos, conforme se hallen que voló el pájaro, van a venir a alcanzarme.

[22] Mira, busca.

Dicho esto, ella echó a correr, y el padre en tres zancadas se plantificó en su convento. Conforme entró se fue a la celda del padre guardián y le contó todo cuanto le había pasado, añadiendo que aquella gente de cierto vendría al convento a preguntar por él.

No bien lo hubo dicho, cuando se oyó llamar a la puerta del convento.

El guardián fue el que bajó y se presentó.

—¿Qué se ofrece, caballeros? —preguntó.

—Acá venimos —contestaron— en busca del padre Mateo, que estaba ahora poco confesando a una mujer.

—No hay tal; el padre Mateo no ha confesado esta noche a ninguna mujer.

—¿Que no?... Pues si se la ha traído aquí por más señas.

—¿Qué estáis diciendo, deslenguados?... ¡Una mujer al convento! ¿Cómo se entiende quitar de esa manera la estimación al padre Mateo e infamar al convento?

—No, no señor; no lo decimos con esa intención, sino que...

—¿Sino qué? —preguntó cada vez más enojado el guardián—. ¿Qué motivo honrado puede acaso haber para traer una mujer al convento?

Los hombres se miraron unos a otros.

—Bien te dije yo —murmuró el uno— que esto no era cosa natural, sino milagrosa.

—Sí, sí —dijo otro—; esto es obra de Dios o del diablo.

—Del diablo no, porque no se mete a impedir lo que le tiene cuenta.

—Id con Dios, mal hablados —dijo en voz campanuda el guardián—, y guardaos de acercaros a los conventos con malos fines, sin tender lazos, ni levantar calumnias a sus pacíficos moradores que, como el padre Mateo, descansan tranquilamente en su celda; que nuestro santo patrono vela sobre nosotros.

—No te quede duda —dijo el más sobrecogido de los tres—; ha sido el mismo San Francisco, que ha venido con nosotros para salvar con un milagro a aquella mujer.

—Padre Mateo —dijo el guardián cuando se hubieron ido—, se han sobrecogido mucho y os han tomado por San Francisco. Más vale así, pues son gentes temibles y están furiosos.

—Mucho me honran —contestó el padre Mateo—; pero déme vuestra paternidad permiso para marcharme esta madrugada a un puerto de mar y de allí en el primer barco que salga a las Indias, no sea que lo piensen mejor y me cuelguen a mí el milagro de San Francisco.

III. *Cuentos contemporáneos*

Pedro Antonio de Alarcón

El carbonero alcalde

Pedro Antonio de Alarcón

Nació en Guadix (Granada), en 1833, y estudió en el seminario de su localidad durante los primeros años de su juventud.

Tras colgar los hábitos se dirigió a Cádiz y luego a Granada y Madrid buscando forma de dar salida a su vocación literaria.

Ya en la capital, dedicado al periodismo, tuvo algún altercado por cuestiones ideológicas, especialmente el que lo enfrentó en un duelo a muerte con el periodista venezolano Heriberto García de Quevedo, quien, generosamente, le permitió seguir vivo.

Estuvo como cronista en la Exposición Universal de París y, sobre todo en la guerra de Marruecos, tras la cual escribió el *Diario de un testigo de la guerra de África*, que le dio justo renombre.

De sus obras fundamentales han de destacarse su novela *El escándalo*, verdadero *best-seller* del momento, así como *El capitán Veneno*, *El Niño de la Bola* y *El sombrero de tres picos*. Y un buen puñado de cuentos, entre los que sobresale *El carbonero alcalde*.

Murió en Madrid, a los cincuenta y ocho años, algo cansado de la vida, pues había visto fallecer a dos de sus siete hijos.

El carbonero alcalde

I

Otro día narraré los trágicos sucesos que precedieron a la entrada de los franceses en la morisca ciudad de Guadix, [para que se vea de qué modo sus irritados habitantes arrastraron y dieron muerte al Corregidor de don Francisco Trujillo, acusado de no haberse atrevido a salir a hacer frente al ejército napoleónico con los trescientos paisanos armados de escopetas, sables, navajas y hondas de que habría podido disponer por ello...].

Hoy, sin otro fin que indicar el estado en que se hallaban las cosas cuando ocurrió el sublime episodio que voy a referir, diré que ya era Capitán General de Granada el *Excmo. Sr. Conde [D.] Horacio Sebastiani*, como le llamaban los afrancesados, y Gobernador [del Corregimiento] de Guadix el General Godinot, sucesor del Coronel de Dragones de Caballería, número 20, monsieur Corvineau, a quien había cabido la gloria de ocupar la ciudad el 16 de febrero de 1810.

Dos meses habían pasado desde esta aborrecida fecha, y las tropas de Napoleón seguían dominando en Guadix por tal arte, que aquella tierra clásica de revoltosos y guerrilleros se hallaba como una balsa de aceite.

Apenas se veía algún que otro buen patriota ahorcado en los miradores de las Casas Consistoriales, y ya iban siendo menos sorprendentes ciertas misteriosas *bajas* del ejército invasor, ocasionadas, según todo el mundo sabe, por la manía en que dieron los guadijeños, como otros muchos españoles, de alojar al pozo a sus alojados; comenzaba la plebe a chapurrar[1] el francés, y ya sabían hasta los niños decir *«didon»*[2] para llamar a los conquistadores, lo cual era claro indicio de que la asimilación de españoles y franceses adelantaba mucho, haciendo esperar a los transpirenaicos una pronta identificación de ambos pueblos; ya bailaban nuestras abuelas (es decir, las abuelas de los nietos de señorones afrancesados, que no las mías, a Dios gracias)... ya bailaban, digo, con los oficiales vencedores en Marengo,[3] Austerlitz[4] y Wagram,[5] y aún había ejemplo de que alguna beldad despreocupada, con peina[6] de teja y vestido de medio paso, que era la suma elegancia en aquel entonces, hubiese mirado con buenos ojos a este o a aquel granadero,[7] dragón[8] o húsar[9] nacido en lejanas tierras; ya extendían los

---

[1] *chapurrar*: chapurrear, hablar con dificultad un idioma.   [2] *didon*: recibían este nombre algunas sirvientas en obras de Molière, pero puede ser deformación de la estructura francesa correspondiente a «te lo digo», una manera de nombrar a quien no se entiende lo que dice.   [3] Batalla de Marengo, en el Piamonte italiano, donde el 14 de junio de 1800 Napoleón derrotó al ejército austríaco.   [4] Es conocida como la batalla de «los tres emperadores» porque en las proximidades de ese pueblo combatieron Napoleón, que fue el vencedor, Francisco II y Alejandro I, el 2 de diciembre de 1805.   [5] Localidad donde, entre el 5 y el 6 de julio de 1809, las tropas de Napoleón vencieron a las del archiduque Carlos de Austria.   [6] *peina*: peineta.   [7] Soldado de elevada estatura perteneciente a una compañía que formaba la cabeza del regimiento. También soldado de infantería armado con granadas de mano.   [8] Soldado que hacía el servicio alternativamente a pie o a caballo.   [9] Soldado de caballería ligera vestido a la húngara.

curiales[10] toda clase de documentos públicos en papel
que *había sido* del reinado de Don Fernando VII, y al cual
se acababa de poner la siguiente nota: «*Valga para el reinado del Rey nuestro Sr. D. José Napoleón I*»;[11] ya se digna-
ban oír misa los domingos y fiestas de guardar aquellos
hijos de Voltaire y de Rousseau,[12] bien que los generales
y jefes superiores la oyesen, como convenía a su alta dig-
nidad, arrellanados en los sillones del Presbiterio y fu-
mando en descomunales pipas... (histórico); ya los frailes de San Agustín, San Diego, Santo Domingo y San
Francisco habían *consumido* todas las Hostias consagra-
das y evacuado por fuerza sus conventos para que sir-
viesen de cuarteles a los galos; ya, en fin, era todo paz
varsoviana, oficial alegría y entusiasmo bajo pena de
muerte en la antigua corte de aquellos otros enemigos de
Cristo que reinaron en Guadix por la gracia de Alá y de
su profeta Mahoma.

II

Pues he aquí que, en tales circunstancias, tuvo que ce-
rrar sus puertas el matadero de Guadix, por falta de re-
ses que matar. Vacas, bueyes, terneras, carneros, ovejas,
cabras... ¡todos los ganados del territorio habían sido ya

---

[10] *curial*: empleado subalterno de los tribunales de justicia. [11] El mayor
de los hermanos de Napoleón, fue rey de España desde 1808 hasta 1813. Era
conocido popularmente como Pepe Botella. Su función como gobernante, en
general, fue aceptable. [12] Se refiere a los franceses que, tras la Revolución de
1789, y siguiendo las consignas de Voltaire y Rousseau, no eran fervientes católicos.

devorados por *aquellos naciones,* con más todos los jamones, espaldillas, pavos, pollos, gallinas, palomas y conejos caseros de la ciudad, pues nunca se había visto a seres humanos comer tanta *carnaza* a todas horas!...

Las gentes del país, sobrias siempre, a fuer de[13] semiafricanas, seguían alimentándose con vegetales crudos, cocidos o fritos...; ¡pero el Conquistador necesitaba carne, y carne fresca, y mucha, y pronto!...

En tal conflicto, recordó el General francés que el partido de Guadix se componía de varios pueblos, y que la mayor parte de ellos se hallaban aún *por conquistar.*

—¡Es necesario —dijo entonces a sus tropas— que las águilas del Imperio se extiendan por todas partes! Desparramaos por cuantas villas, lugares y cortijos comprende el territorio de mi mando; llevadles la buena nueva del advenimiento de don José I al trono de San Fernando; tomad posesión de ellos en su nombre, y traedme a la vuelta cuanto ganado encontréis en sus corrales y rediles. ¡Viva el Emperador!

Y, en virtud de esta *orden del día,* salieron diez o doce columnas, cada una de ciento a doscientos hombres, con dirección al marquesado del Zenet,[14] a Gor,[15] a los montes y a los pueblos situados en la falda septentrional de Sierra Nevada.

Entre estos últimos —y henos ya dentro del episodio que nos propusimos referir al coger hoy la pluma—, entre los pueblos que, indiferentes a los adelantos de la ci-

---

[13] *A fuer de*: en virtud de, a manera de. [14] Zona próxima a Guadix, en la provincia de Granada, poblada en otros tiempos por gentes de la tribu berberisca de Zeneta, procedente del norte de África. [15] Localidad de la provincia de Granada, próxima a Guadix.

vilización, vegetan al pie del colosal y siempre nevado Mulhacén,[16] es [y era] renombrada en veinte leguas a la redonda, por el carácter [indómito] de sus moradores, por su [arábigo] aspecto, por el estado casi salvaje de las costumbres y por otras particularidades que ya irán surgiendo de nuestra relación, la antiquísima villa de *Lapeza*,[17] célebre en la guerra de los moriscos, y cuyo arruinado castillejo recuerda aún el nombre de su esforzado Gobernador Bernardino de Villalta, digno adversario de los secuaces de Abén-Humeya.[18]

Era el día 15 de abril del mencionado año de 1810.

La villa de Lapeza ofrecía un espectáculo tan risible como admirable, tan grotesco como imponente, tan ridículo como aterrador. Hallábanse cortadas todas sus avenidas por una muralla de troncos de encina y de otros árboles gigantescos, que la población en masa bajaba del monte vecino, y con los que formaban pilas no muy fáciles de superar. Como la mayor parte de aquel vecindario se compone de carboneros, y el resto de leñadores y pastores, la operación indicada se llevaba a cabo con inteligencia y celeridad verdaderamente asombrosas.

Aquel recio muro de madera formaba una especie de torre por el lado frontero al camino de Guadix, y encima de esta torre habían colocado los lapeceños (¡asómbrense ustedes!) cierto formidable *cañón* [fabricado por ellos mismos, y de que ha quedado imperecedera memoria];

[16] Pico de Sierra Nevada, el más alto de la península.   [17] Villa granadina en el municipio de Guadix.   [18] Fernando de Córdoba y Válor, caudillo de los moriscos españoles que se rebelaron contra Felipe II. Cambió de nombre tras convertirse al mahometanismo.

el cual consistía en un colosal tronco de encina ahuecado al fuego, ceñido con recias cuerdas y redoblados alambres, y cargado hasta la boca con no sé cuántas libras de pólvora y una infinidad de balas, piedras, [pedazos de] hierro viejo y otros proyectiles por el estilo...

Contábase además con todas las armas blancas y negras del pueblo y del monte, resultando disponibles unas doce escopetas, más de veinte bocachas[19] y trabucos,[20] un cuchillo, puñal o navaja por persona, tres o cuatro docenas de hachas de hacer leña, algunos pistolones de chispas, inmensos montones de piedras de respetable calibre, todas las hondas necesarias para hacerlas volar y una verdadera selva de garrotes y porras de variado gusto.

En cuanto a la *guarnición*,[21] [todos los coetáneos del hecho están de acuerdo en que] constaría de unos doscientos *hombres*, a quienes sólo se podía llamar así por un exceso de filantropía [pues más que hombres parecían orangutanes]; entre los cuales figuraba en primera línea, merece especial mención y dará exacta idea de los demás, el General de aquel ejército, el Gobernador de aquella plaza, el Alcalde de Lapeza: *Manuel Atienza*, en fin, que santa gloria haya.

Era la primera Autoridad de la villa un mortal de cuarenta y cinco a cincuenta años, alto como un ciprés, huesoso o *nudoso* (que esta es la verdadera palabra) como un fresno, y fuerte como una encina; aunque, a decir verdad, su largo ejercicio de carbonero habíale requemado y ennegrecido de tal modo que, de parecer una encina,

---

[19] *bocacha*: trabuco *naranjero*, de boca acampanada y gran calibre.   [20] *trabuco*: arma de fuego más corta que la escopeta, con el cañón ensanchado por la boca.   [21] *guarnición*: tropa que defiende un lugar.

parecía una encina hecha carbón. Sus uñas eran peder-
nal; sus dientes de caoba; sus manos, de bronce pavona-
do por el sol; su cabello, por lo revuelto y empujado, cáñamo sin agramar,[22] y por la calidad y el color, el cerro de
un jabalí; su pecho, que la abierta camisa dejaba ver de
hombro a hombro y del cuello hasta el estómago *inclusi-
ve*, parecía cubierto de una piel de caballo que se hubiese
arrugado y endurecido a fuerza de estar sobre
ascuas, y, [efectivamente], el cerdoso vello que poblaba
su saliente esternón hallábase chamuscado, así como sus
pobladas cejas... Y consistía esto en que el señor Alcalde
era carbonero (o sea *ranchero de la sierra*, según que ellos
se llaman) y había pasado toda su vida en medio de un
incendio, como las ánimas del Purgatorio.

Con respecto a los ojos de Manuel Atienza, no podía
negarse que *venían*, pero nadie hubiera asegurado nunca
que *miraban*. La advertida ignorancia de su merced, jun-
ta a la malicia del mono y a la prevención del hombre entrado en años, aconsejábale no fijar nunca la vista en sus
interlocutores, a fin de que no descubriesen las marras[23]
de su inteligencia o de su saber; y, si la fijaba, era de un
modo tan vago, tan receloso, tan solapado, que parecía
que aquellas pupilas miraban hacia dentro, o que
aquel hombre tenía otros dos ojos detrás de las orejas,
como las lagartijas. Su boca, en fin, era la de un alano
viejo, su frente desaparecía debajo de las avanzadas
del pelo; su cara relucía como el cordobán[24] curtido, y
su voz, ronca como un trabucazo, tenía ciertas notas

---

[22] *agramar*: majar el cáñamo (o el lino) para separar el tallo de la fibra.
[23] *marras*: faltas.   [24] *cordobán*: piel curtida de cabra o macho cabrío.

ásperas y bruscas como el golpe del hacha sobre la leña.

De su traje [no hay que decir, por ser cosa de cajón entre la gente rica de aquellos pueblos, que] consistía en unas abarcas[25] de piel de toro, tomiza[26] y parella;[27] medias de lana; calzón corto, de paño burdo muy oscuro; chaqueta de lo mismo; chaleco celeste, de raso, rameado[28] de amarillo; canana de cuero, en vez de faja, y un enorme sombrero, bajo cuya ala, ribeteada de felpa, sesteaba muy cómodamente toda su autoridad...

[Y], a propósito de autoridad, añadiré para concluir, que la vara de alcalde le llegaba al hombro, y que sus dos borlas negras, del tamaño de dos naranjas, denunciaban a tiro de bala a todo *un hombre de orden,* [que diríamos ahora].

Tal era el Alcalde de Lapeza, y a su tenor todos sus subordinados. Si creéis exagerada la descripción, tened presente que la raza de los lapeceños no ha degenerado ni se ha modificado con los años transcurridos. [¡] Id allá, y os asombraréis, como yo, de que en España, y a mediados del siglo XIX, existan todas las maravillas del África meridional [!].[29]

III

Pero las obras de fortificación están terminadas y el armamento distribuido equitativamente.

---

[25] *abarca*: especie de sandalia (o de zueco) de cuero.   [26] *tomiza*: soguilla de esparto.   [27] *parella*: paño de limpiar.   [28] *rameado*: con dibujos de ramas.
[29] Probablemente se trate de un error; a mi entender debió poner *septentrional.*

Atienza ha mandado a *Jacinto* que vaya a su casa por un [antiquísimo] tambor, que sirve para las procesiones, para los toros y para pregonar los bandos.

Jacinto —que, dicho sea entre paréntesis, [era el alguacil, y de alguacil] ha muerto en el presente año de 1859— acude ya tocando generala.

—¡A la formación! —grita el síndico, persona muy perita en el arte militar, como que ha servido al señor Rey Don Carlos IV en clase de ranchero de una compañía de cazadores...

Los doscientos lapeceños toman las armas y se forman en batalla enfrente del Ayuntamiento.

Atienza empuña entonces una larga y negra espada antigua, de ancha cazoleta y extensos gavilanes; cuelga de su canana una pistola de arzón; coge con la mano izquierda la vara de Alcalde, ni más ni menos que haría con su bastón un mariscal de Francia, y seguido de un brillante Estado Mayor, compuesto del alguacil, del pregonero o *peón público y del Infrascrito*,[30] que es como, por antonomasia, llama su mujer al fiel de fechos, pasa revista a sus formidables huestes, que le presentan las armas o tiran por alto monteras y sombreros.

—¡Viva el señor Alcalde! —gritan o ladran aquellos futuros héroes.

A lo que Atienza replica:

—[¡Qué alcalde ni qué cuerno!] ¡Viva Dios! ¡Viva Lapeza! ¡Viva la Independencia española!

---

[30] El que firma, una especie de notario que da fe y razón de los hechos. El alcalde, como se verá más adelante, es analfabeto.

Y, una vez cambiado este saludo de guerra, su merced ordena a Jacinto que toque un largo redoble; llama a su lado al pregonero, y, por boca de éste, que repite una a una y hasta media a media las palabras del caudillo, pronuncia la siguiente proclama, [no escrita]:

«Por —noticias— del tío Piorno —se ha sabido— que —el enemigo de la patria —viene hoy a Lapeza— a conquistarnos —y—robarnos los bienes; —y nosotros— con la bendición del señor cura —y el auxilio— de nuestra santa patrona— la Virgen del Rosario, —vamos— a defendernos —como buenos españoles— y a mostrar —a la ciudad de Guadix,— que —si ella— se ha entregado al francés, —los— vecinos de Lapeza —saben morir—, como murieron —los vecinos de Madrid— el día *Dos de Mayo,* —o— vencer —como vencieron— los vecinos de Bailén —hace dos años; —y, en su virtud, —el Alcalde— hace saber —a estos vecinos— que —el que no perezca— en el presente día— defendiendo su casa, —será declarado— mal español —y traidor a la patria— y morirá, —como corresponde, colgado de una encina de la sierra. Y para que conste, —no sabiendo firmar, —lo hace su merced— con la cruz que acostumbra, —de que certifica— el infrascrito. —¡Viva Dios!— ¡Viva la Virgen! —¡Viva España!— ¡Viva Fernando VII! —¡Muera *Pepe botellas*!—Mueran los franceses! —¡muera Godinot! —¡Mueran los traidores!»

Esta mezcla de proclama guerrera y de actuación judicial produjo extraordinario efecto en los lapeceños.

Manuel Atienza hizo la cruz con los dedos, y la besó al llegar a lo de la firma, el secretario certificó con un movimiento de cabeza: el pregonero cumplimentó al Alcalde por lo bien que había improvisado su discurso; Jacinto tocó otro redoble de tambor, y los *vivas,* los bailes y los himnos patrióticos dieron fin a aquella cómica *loa* de una verdadera tragedia.

¡Cada uno a su puesto! —exclamó entonces el síndico.

Y unos coronaron la fortaleza de madera; otros se montaron en el *cañón,* provistos de una larga mecha; los gañanes más diestros en el manejo de la honda subieron a la alcazaba morisca; los tiradores o escopeteros salieron de descubierta al camino de Guadix, y el Alcalde se colocó en un punto que dominaba todo el futuro campo de batalla, teniendo a su lado a Jacinto, a fin de que [con un redoble de tambor] diese la señal de fuego.

[Entretanto el cura bendecía y absolvía una vez más a sus animosos feligreses y se dedicaba, con el albéitar,[31] el sacristán y el sepulturero, a preparar vendajes, el Santo Óleo y unas angarillas para el socorro de heridos y muertos.

Casi todas las mujeres rezaban en la iglesia; y, en cuanto a los niños, habíase dispuesto aquella mañana mandarlos todos a lo alto de Sierra Nevada, a fin de que sus vidas no corriesen peligro y pudieran servir, andando los años, para rechazar otra invasión extranjera].

IV

Las tres de la tarde serían cuando una nube de polvo indicó a los lapeceños la proximidad del enemigo.

---

[31] *albéitar:* veterinario.

Algunos tiros de las primeras avanzadas corroboraron poco después aquella indicación.

Los lapeceños saltaron de entusiasmo y al mismo tiempo, por disposición final del señor Alcalde, izáronse en la antigua fortaleza de los moros y en el parapeto de encina dos o tres banderas hechas con pañuelos negros.

Las campanas tocaron a rebato; muchas viejas empezaron a gritar y los mozos a lanzar silbidos; algunas piedras zumbaron en el espacio, y los escopetazos del camino oyéronse más frecuentes y más próximos.

Un momento después los tiradores se replegaron hacia la villa, cargando nuevamente sus armas, y los primeros cascos, corazas y bayonetas del ejército invasor relucieron al alcance de los trabucos.

—¿Cuántos vienen? —preguntó Manuel Atienza a uno de los que más habían avanzado.

—¡Vendrán doscientos! —respondió éste.

—¡Somos fuerzas iguales! —exclamó el carbonero con desdeñosa arrogancia, sin considerar que doscientos rústicos mal armados no significan lo que doscientos veteranos avezados a las lides y acometiendo con excelentes armas.

—¡Pero traen caballería!... —añadió un segundo escopetero.

—¡Repito que somos fuerzas iguales! —volvió a decir Manuel Atienza—. ¡A ver, Jacinto, que suene ese tambor... ¡España y a ellos! ¡Viva la Virgen!

Jacinto dio la señal ansiada, y una nube de piedras y de balas, cayendo sobre los franceses, los obligó a hacer alto.

Un momento después contestaron éstos con una nutrida descarga, que dejó fuera de combate a cinco lapeceños.

—¡Alto el fuego! —gritó entonces el Alcalde—. Están todavía muy lejos y tenemos poca pólvora. Dejémosles acer-
carse... Ya sabéis que el *cañón* se reserva para lo último, y
que hasta que yo tire el sombrero no se le arrima la mecha...
Ustedes, señoras, ¡a ver si se callan y cuidan de los heridos!

—¡Ya se acercan [otra vez]!

—¡Nada!... ¡Todo el mundo quieto!

—¡Ya apuntan!

—¡Todo el mundo a tierra!

Una segunda descarga vino a estrellarse en los troncos de encina, y los franceses avanzaron hasta hallarse a
unos veinte pasos del ejército sitiado.

Los peones se replegaron a los dos lados del camino,
dejando paso a la caballería...

—¡Fuego! —exclamó entonces el Alcalde con una voz
igual a la de la pólvora, mientras que arrojaba el sombrero por alto y se plantaba en medio del mayor peligro.

¡Allí fue lo horrible! ¡Allí fue lo inenarrable!

Franceses y españoles dispararon sus armas a un mismo tiempo, sembrando la tierra de cadáveres; la caballería aprovechó este momento para llegar al pie de la muralla, [presumiendo sin duda poderla saltar con sus
impetuosos bridones];[32] centenares de piedras derrum-
baron a caballos y jinetes; éstos empezaron por su parte
a degollar a mansalva; y en aquel supremo tumulto, en
medio de aquel estrago, de aquel torbellino, de aquella
confusión, he aquí que estalla por último el tremendo ca-
ñonazo, produciendo un estampido fragoroso y llevando la muerte a sitiados y sitiadores.

---

[32] *bridón*: caballo brioso y arrogante.

Y era que el *cañón* había reventado al tiempo de disparar; era que la encina hecha pedazos vomitaba la metralla en todas direcciones, lo mismo hacia atrás que hacia adelante y por los costados, revuelta con mil fragmentos de madera que silbaban al hender el aire; era que la expansión de tanta pólvora inflamada había hecho rodar los troncos en que se apoyaba el *cañón*, y estos troncos aplastaron a españoles y franceses. Fue aquello, pues, un caos de humo, de polvo, de rugidos, de lamentos, de relinchos, de llamas, de sangre, de cadáveres deshechos, cuyos miembros volaban todavía o volvían a la tierra entre balas, piedras y otros proyectiles; de caballos sueltos que huían coceando; de palos de ciego dados sobre amigos y enemigos por los lapeceños que aún seguían en pie, y de puñaladas, pistoletazos y pedradas, que venían de abajo, de arriba, de todas partes, como si hubiese llegado el fin del mundo...

Y en esta tempestad, en este infierno, percibíanse juntos el toque *de retirada* de la corneta francesa y el redoble del tambor lapeceño tocando *a generala*,[33] en tanto que la voz del formidable carbonero, del invencible Alcalde, del invulnerable Atienza, sobresalía entre el común estruendo, gritando desaforadamente:

—¡Duro con ellos, muchachos! ¡Hasta que no quede uno! ¡Ya deben de quedar pocos!

Y era verdad; pero también era cierto que quedaban menos españoles. El cañón de encina había hecho más destrozo entre los lapeceños que entre los franceses.

---

[33] *generala*: toque de corneta para que todas las fuerzas se pongan sobre las armas.

Sin embargo, como estos últimos ignoraban los medios de defensa que aún podían tener reservados aquellos demonios; como tampoco sabían su número, y [como] todo lo temían ya de ellos, pensaron en salvarse a toda prisa; y, desordenados, dispersos, atropellando la caballería a la infantería y desoyendo los soldados las voces de sus jefes, emprendieron una retirada muy semejante a una fuga, perseguidos por los gañanes, que aún tenían a su disposición tres leguas [cubiertas] de proyectiles para sus hondas, y por algunos escopeteros a quienes quedaban cartuchos.

Apedreados, pues, fusilados, ennegrecidos por la pólvora, cubiertos de sangre, de sudor y polvo, y habiendo dejado cien hombres en Lapeza y en el camino, entraron en Guadix, a las ocho de la noche, los vencedores de Egipto, Italia y Alemania, vencidos aquel día por una *fuerza inferior* de pastores y carboneros.

V

El sangriento drama que acabamos de referir no podía menos de tener un tremendo epílogo.

Imagínense nuestros lectores la sorpresa y la ira del general Godinot al saber lo acontecido en Lapeza.

—¡No dejaré en ella piedra sobre piedra! —exclamó el vengativo galo...

Y cuatro días después salían con dirección a la villa gobernada por Atienza dos mil cuatrocientos hombres de todas armas, al mando de un Oficial general, con tantos víveres y municiones como si se tratara de sitiar una plaza fuerte.

Aquel numeroso ejército dio vista a Lapeza a las nueve de la mañana.

A nadie encontraron por el camino: ni un tiro, ni una pedrada los recibió. Todo era silencio y soledad en la ensangrentada villa.

La destruida muralla de troncos no había sido recompuesta, y las campanas no hacían señal de la llegada del enemigo...

Así entraron en el pueblo los irritados invasores.

Y allí debió [de] cruzar por su mente una especie de profecía de lo que más tarde les aconteció en Rusia. Lapeza estaba despoblada, ni más ni menos que Moscú cuando penetró en ella Napoleón el Grande.

Los lobos, hartos de carnicería, habían vuelto a internarse en la sierra.

Sólo algunas pobres mujeres, que habían bajado aquel día a dar una vuelta por sus abandonados hogares y en busca de víveres para los emigrados, fueron halladas en los rincones de la iglesia, adonde se habían guarecido, creyendo que allí las respetarían los ilustres conquistadores...

Mas ¡ay! no... Que, a falta de varones fuertes que vencer, ofrecióles allí la pérfida fortuna míseras doncellas que ultrajar, inocencia que escarnecer, virtud que cubrir de oprobio y amargura.

¡Apartemos los ojos de aquellas infamias, muchas veces repetidas por los vencedores de Europa durante su odiosa dominación en España! ¡Maldición y vergüenza a los que emplean en el crimen la victoria! ¡Horror eterno a las armas extranjeras!

Ufanos y satisfechos volvían hacia Guadix aquellos héroes, llevando, como únicos prisioneros hechos en aquella ruidosa expedición, un inerme anciano, decrépito y enfermo, que encontraron en una choza, y un tímido adolescente que lo cuidaba, cuando la noticia de lo que sucedía en sus hogares, divulgada en la sierra por alguna atribulada fugitiva, precipitó sobre el camino a los enfurecidos padres, hermanos y novios, que bajaban de las alturas como despeñados torrentes.

Empezó entonces un tremendo combate *a salto de mata* (ésta es su gráfica calificación) entre los cien vecinos que aún había a las órdenes de Atienza y los dos mil cuatrocientos expedicionarios franceses.

Una vez lanzado el reto y trabada la lid, los lapeceños empezaron a batirse en retirada, [a la usanza mora], con el fin de internar a los enemigos en las fragosidades de la sierra.

Éstos cometieron la imprudencia de caer en el lazo, y, si bien es verdad que sus terribles armas casi concluyeron con aquel puñado de valientes, no lo es menos que compraron la vida de cada uno con diez bajas en sus batallones.

Las ásperas rocas, los verdes barrancos, los matorrales y los abismos quedaron sembrados de cadáveres [franceses]...

Fue una de tantas poco sabidas pérdidas como tuvieron en España los ejércitos napoleónicos; pérdidas que no constaban en los boletines de las grandes batallas, pero que al cabo de la guerra de la Independencia dieron la enorme suma de *medio millón* de soldados imperiales muertos o perdidos en nuestra península.

Concluyamos.

Atienza —o *Atencia,* que es como el señor Alcalde pronuncia su apellido, aumentando su energía con esta variante—, el invicto carbonero que ha presentado dos batallas en cuatro días a las tropas de Bonaparte, hállase de pie sobre una altísima peña, rodeado de franceses, acorralado, perdido, cargando su *naranjero*[34] con el último cartucho, con la cabeza vendada de resultas del combate del día 15, llevando al cinto la vara de su jurisdicción, como hiciera con la suya un arriero, y respondiendo a las intimaciones que le hacen de que se rinda con risotadas salvajes, cuyos ecos repiten los abismos [de la quebrantada sierra].

Cien balas silban continuamente en torno suyo, [pero] él las esquiva saltando de un lado a otro, irguiéndose o agachándose, ágil, súbito, elástico, como tigre que va y viene sin cesar, se encoge, brinca, acude a todas partes, y aterra tanto en la defensa como en la acometida.

Dispara, por fin, el último trabucazo, trazando en torno suyo un semicírculo con la tremenda arma, como si quisiese rociar de balas el monte; alcánzale en esto otro tiro en el vientre, lo que le arranca un rugido pavoroso; conoce que va a morir; arroja el trabuco, no sin mirarlo de reojo, al considerarlo ya inofensivo; sácase del cinto el enorme bastón que conocemos, y dirigiéndose a un coronel que le insta en mal español para que se entregue:

—¡Yo no me rindo! —dice—. ¡Yo soy la villa de Lapeza, que muere antes de entregarse!

Y rompiendo el bastón entre sus manos, lo arroja a la faz de los franceses, y él se precipita detrás, cayendo contra las peñas de un hondo barranco, donde sus huesos de bronce crujen al saltar hechos astillas.

[34] Véase nota 19, pág. 86.

¡Ni tan siquiera de su cadáver logró apoderarse el enemigo!

VI

Lapeza es ya de los franceses.

El general Godinot recibe la fausta nueva del jefe expedicionario.

—¿Cuántos prisioneros traéis? —le pregunta—. [¡] Necesitamos ahorcarlos para que escarmienten los demás pueblos del partido [!].

—Sólo traigo dos: un viejo y un muchacho. [¡] En toda la villa no encontré más enemigos [!] [—responde el jefe bajando los ojos].

Entonces Godinot no puede menos de admirar la actitud verdaderamente antigua, clásica, espartana, de aquellos montañeses. Pero, con todo, insiste en que sean ahorcados los dos débiles prisioneros.

Nuestros padres nos han referido [muchas veces] los pormenores de aquella ejecución...

[Pero nosotros] la contaremos rápidamente...

Son de índole demasiado feroz para que la pluma se detenga en su relato.

Ataron una cuerda al cuello del niño, y lo arrojaron desde un mirador [de la casa del Ayuntamiento] a la plaza [mayor] de Guadix.

Rompióse la cuerda, y el niño cayó contra el empedrado.

Anudaron la parte rota, tornaron a subir a la pobre criatura; colgáronlo de nuevo, y la cuerda se volvió a romper.

El niño quedó en el suelo sin poder moverse. No había muerto, pero todos sus remos se habían roto.

Entonces, un oficial de Dragones, conmovido al mirar que se pensaba en colgarlo por tercera vez, llegóse al infeliz... y le deshizo la cabeza de un pistoletazo.

Saciada de este modo, al menos por aquel día, la ferocidad de los vencedores, dignáronse perdonar al anciano enfermo, el cual había presenciado toda la anterior escena acurrucado al pie de una columna esperando a que le llegase su vez de ser ahorcado...

Diéronle, pues, libertad, y el pobre viejo salió de la plaza corriendo y tambaleándose, y tomó el camino de su pueblo, donde murió de tristeza aquella [misma] noche.

¡El niño asesinado en Guadix... era su hijo!

Guadix, 1859.

Arturo Reyes

En el tren

Arturo Reyes

Nació en Málaga, en 1863, y apenas con doce años ya había escrito una quintilla, lo que habla de su precocidad como poeta.

Huérfano muy pronto, tuvo que buscar trabajo, encontrándolo como dependiente en el despacho de un comerciante de la época. Pero en seguida se vio en la necesidad de vivir gracias a su pluma, lo que no siempre consiguió como hubiera deseado, a base de cuentos, poemas, artículos, relatos y algunas novelas que fueron, en definitiva, las que le proporcionaron justa fama.

Entre sus libros de mayor éxito hay que recordar *Cosas de mi tierra*, conjunto de cuentos sobre las gentes de Málaga a finales del siglo XIX, y su novela *Cartucherita*, de la que el famoso Cánovas del Castillo hablaba maravillas. *El lagar de la Viñuela* fue considerada por Menéndez Pelayo como su obra más conseguida.

De sus poemarios hay que destacar *Íntimas, Otoñales,* y *Del Crepúsculo*. La Real Academia llegó a nombrarlo académico correspondiente, y su ciudad natal le ofreció un multitudinario homenaje. Murió pobre, en su ciudad natal, en 1913.

En el tren

—Señores, buenos días.

—Buenos días.

—¡Josús[1] y lo que se suda, camará![2] ¡Como que esto de no parar más que un minuto en algunas estaciones, es el delirio!... Oiga usté, ¿es de usté esa niña que llora?

—Pa servir a Dios y a usté, caballero.

—Pos[3] diga usté, señora, que tiée[4] usté por niña una trompeta... ¡Josús y qué pito que tiée el ángel de Dios! ¡Alma mía! ¡Debe tener la campanilla de plata!... Oiga usté, amigo, ¿usté pa Ronda?

—No, señó; pa Lucena.

—Buena tierra y buenos velones; por cierto, que una vez por poquito si por mo de un velón tengo yo un enganche[5] la mar de saborío[6] con uno de Lucena en Cartagima.

—¿Dice usté que por mo[7] de un velón?

—Sí, señó; por mo de un velón de cuatro mecheros. Supóngase usté que lo acababa de encender el amo de la posá,[8] que era lucentino, y yo, que lo necesitaba, le digo: «Oíga usté, ¿me hace usté el favor de alargarme su paisano?

[1] Deformación de *¡Jesús!* [2] Camarada. [3] Pues. [4] Tiene. [5] *enganche*: pelea entre dos personas. [6] *saborío*: esaborío, falto de gracia. [7] *por mo*: por mor, por culpa de. [8] *posá*: posada.

—¿Y el hombre se enfadó?

—¡Que si se enfadó! ¡Camará, si se enfadó! Como que por poquito si tengo necesidá de mandarles un recaíto a los del tricornio.[9] A mí me han pasao la mar de cosas grandes... Oiga usté, ¿usté de dónde es, de Córdoba?

—No, señó; de Málaga.

—Pos yo de Sevilla, y la mar de ganitas tengo yo ya de ir a Málaga... Pero ¿no ve usté qué niña?... Por la Virgen de la Macarena, ¿usté no tiée na que arrimarle a la boca a ese angelito?

—Yo na..., ¿y usté?

—¿Yo? Las entrañas le arrimaría yo porque se callara a ese serafín, que es to un órgano.

—¿Y usté qué es?

—Eso usté lo dirá... Con que, amigo, ¿dice usté que usté va pa Ronda?

—No, hombre, no; pa la tierra de los velones.

—¡Ah, es verdá! Pos bien: yo vengo de Algeciras... Quise ver cómo se portaba Ricardo, y vaya una corriíta guasona. Y no se piense usté que era malo el ganao; no, señó, na de eso. No era malo ni muchísimo menos, porque, eso sí, pa mí la verdá es la verdá, y los bichos fueron superiores; pero el *Bomba* tuvo aquel día el santo de espaldas, y mire usté que yo soy de los que creen que al *Bomba* no lo coge un toro como no le tire un cuerno... ¿No estuvo usté en la corría?[10]

—No, señor.

—Pos no se perdió usté na, y mire usté que estaba la plaza pa chillarla, parecía mismamente un muestrario

[9] Hace referencia a los carabineros o guardias civiles. [10] *corría*: corrida de toros.

de percales[11] de colores, y llena, tan llena, que no había donde echar una salivilla... Y un mujerío..., ¡qué mujerío! Ese sí que es un ganao de *chipe*...[12] ¡Josús, y qué niña! Me tiene ya nervioso, porque yo soy mu nervioso..., no lo puedo remediar... Bueno, pos conforme iba diciendo estaba la plaza de mujeres que daba pánico... Yo llegué al tendío[13] una chispitilla antes de que encomenzara la faena, como que no había hecho más que sentarme cuando pun..., las cuadrillas en el reondel, y a poquito, tirirí..., tirirí..., tirirí, sale el primer bicho, y, ¡camará!, ni que el bicho fuera de azogue. Yo no le diré a usté sino que al minuto no había en mitá de la plaza ni la sombra de un torero. ¡Vaya unas barreras que se traía el tal animalito, el de los pitones!

—Por lo que veo, a usté le entusiasman los toros.

—¿A mí? Supóngase usté... Yo he echao los dientes viendo toros, yo por los toros deliro; por los toros y por las telas. Porque, mire usté, yo creo que ca uno nace pa una cosa, y yo he nacío pa ver toros, pa bregar con telas, y le advierto a usté que los que vivimos detrás de un mostrador somos tan toreros como el mismísimo *Guerrita*. Como que una tienda es un reondel... ¿Qué? ¿Que no?... Se lo voy a probar a usté ahora mismito, y si no, fíjese usté: Una parroquiana, ¿qué es sino un bicho? Y la labia, ¿qué es sino un capote? ¿Y qué si no un estoque la vara de medir?

—Sí, pudiera ser.

—¿No ha de poder ser? Y si no, vamos allá. Supóngase usté que estamos en mi establecimiento y que, de

---

[11] *percal*: tela de algodón que sirve para confeccionar vestidos de mujer. [12] *de chipé*: de verdad, de calidad, de órdago. [13] *tendío*: el tendido: gradería descubierta, próxima a la barrera, en las plazas de toros.

pronto, se nos mete por las puertas una *gachí* en busca de lo que más necesita. Pos bien: yo todavía no la he visto de entrar cuando ya le estoy a usté diciendo: «Este bicho es noble y bravucón y no hay que aburrirlo mucho con el capote.» U: «Ese es un vivo y me va a hacer sudar tinta china.» U: «Ese es de los que se entableran en el último tercio y no hay quien haga con él naíta[14] de lucimiento.» U bien: «Esta prójima se trae mu malitas intenciones y me va a dar una corná que me va a dejar lisiao.»

—¿Y no se equivoca usté nunca?

—¿Yo? Como el *Guerra*... Como que yo tengo fama. Mire usté: un día estaba yo en la tienda (esto pasó en Osuna), estaba yo en la tienda de palique con un viajante (un hombre mu simpático, mejorando lo presente). Pos bien: estaba yo de palique con él, como le digo, cuando, de pronto, se nos mete por las puertas un bandurrio[15] de gentes de las que vuelven de la siega en la campiña, que es cuando están esos pobreticos pa que se les metan los cimbeles.[16] Yo, que no había hecho más que verlos entrar y ya sabía la faena que necesitaban, le digo al comisionista:[17] «¿Quiere usted ver trabajar a un hombre?» «Con mucho gusto», me responde. Yo sigo hablando con él, y mi compañero se va a los bichos, les da cuatro de las que dan tos los novilleros y, total, que los de la siega emplean entre tos ellos veintisiete pesetas y noventa y cinco céntimos y toman las de Villadiego.

---

[14] *naíta*: nadita.   [15] *bandurrio*: grupo o banda de personas (o de pájaros) no muy numerosa.   [16] *cimbel*: cordel que se ata a la punta del cimillo donde se pone el ave que sirve de señuelo para cazar otras. Una especie de trampa, pues, para pájaros, con quienes los ha comparado al llamarlos *bandurrio*.   [17] *comisionista*: quien trabaja por una comisión; aquí, el viajante.

—Pues no veo el trabajo de usté —me dice el viajante.

Y yo, que me estaba reservando, como es natural, me queo mirándolo con una miajita de zumba, me sonrío y le respondo:

—Ahora, yo, y la faena, por usté.

Y diciendo esto, pego un brinco, me voy a la puerta de la calle y le grito al que capitaneaba el pelotón, que era uno al que le decían el *Moreno*, y el cual ya estaba casi en los límites de la provincia:

—Oye, tú, ven acá, que voy a hacerte un regalo.

—¿Qué quiées, *Rubio*?, me dice el *Moreno*, porque allí toíto el mundo me llamaba el *Rubio*.

—Hombre, que vengas acá, que se me ha olvidao enseñarte una reliquia.

—¿El güeso de algún santo?

—Yo no te enseño a ti nunca un güeso, guasón.[18]

—Pos no me enseñes ya más na, porque yo ya no tengo más haberes que gastarme.

—Si no vas a gastar naíta; si lo que vas a hacer es recrear los ojos de tu cara en una cosa maravillosa, una pana que acabo de recibir, y que ya tengo vendía; una pana que sólo las personas de gusto, como tú, son capaces de apreciarla.

—Yo no quiero ya más pantalones de pana, que dan mu mal resultao.

—Pero si yo no quiero más sino que lo veas, y no pienses tú que te voy a cobrar na por verlos, na de eso. Te los voy a enseñar de balde, pero que completamente de balde.

---

[18] Juego de palabras basado en la paronomasia.

Ya en esto, ya tenía yo tos los pájaros otra vez dentro del jato,[19] y al verlos ya dentro, salto el mostrador y saco una pieza de pana gris, que ya estaba yo tentao de regalársela a los ratones, porque no había un alma caritativa que la metiera el diente.

—¿Y ésta es la pana que tú dices que es tan regüena? —me pregunta el *Moreno,* metiéndole el puño a la tela, porque la pana, pa conocerla bien, hay que meterle bien la mano.

Yo, que vi que la pana no le gustaba, le digo:

—Ésa es una parienta de la que yo digo; porque es que yo quiero enseñarte toa la familia.

—Pos saca otro pariente más cercano, porque lo que es éste no me gusta.

—Eso ya lo sabía yo, y, pa no marearte, límpiate bien los ojos, que te voy a traer dos cortes que tengo separaos pa que tú los veas; pero na más que pa que los veas, porque los tengo ya vendíos.

Y diciendo esto, me meto dentro, saco las tijeras, corto en menos que se dice dos pares de pantalones, vuelvo y se los tiro encima del mostrador, diciéndole:

—Ahora mételes el puño a ésos. Esos sí que son canela; como que traje dos piezas na más y no hay uno en Osuna que sea hombre de gusto y que *chanele*[20] que no tenga un par de pantalones de esta pana.

—Sí, ésta sí es güena. ¿Y dices tú que éstos los tiées ya vendíos?

—Hace ya tres días que estoy esperando que vengan por ellos; pero si algún día recibo más de esta clase, yo

---

[19] *jato*: hato.   [20] *chanelar*: entender.

te prometo reservarte a ti el primero que se corte de la pieza.

—La custión[21] es que como yo ahora tengo dinero, y aluego,[22] cuando puea venir otra pieza, yo no sé si lo tendré...

—Tu cara pa mí vale más que un billete de Banco.

—Muchas gracias; pero el caso es que yo me lo quería llevar ahora.

—¿Y cómo voy yo a dejar plantao a otro marchante casi tan bueno como tú? Por más que el otro me dijo que mandaría por él al día siguiente, y la verdá es que yo quisiera darte gusto a ti, porque tú eres un buen parroquiano y no compras más que en mi tienda.

—Pos cuando venga el otro, le dices que tu compañero se distrajo y lo vendió, sin que tú ni tan siquiera te enteraras.

—No; lo que yo puedo hacer por ti, y por tratarse de ti, es venderte uno de los dos cortes.

—Pero si tú sabes mu bien que yo no me merco una prenda sin mercársela tamién a mi zagal, que se viste siempre lo mismo que yo me visto.

—¡Por vía e la Macarena, y, camará contigo, que aprietas más que un dolor! Pero, en fin, no quiero yo que tú te vayas desazonao con la casa. Voy a liar los cortes enseguiíta, no sea cosa de que, por parte del demonio, vaya a venir el otro marchante.

—Y oye tú, *Rubio*, ¿esto no será mu caro, mu caro?

—No te asustes, hombre, que cuando yo hago una gracia, la hago completa. ¿Tú sabes a lo que nos cuesta a

---

[21] Cuestión.   [22] *aluego*: luego, por prótesis.

nosotros esta pana? Pues esta pana nos cuesta a nosotros a dos pesetas el metro; es decir, que nos viene a salir el corte por seis pesetas aproximadamente, y, por tanto, te creerás tú que yo te voy a poner nueve por el corte, porque ¿qué menos nos vamos a ganar que tres pesetas en cada uno?

—Eso es mu caro, hombre; yo no pueo gastar tantos dineros.

—Cállate tú, guasón. Si tú eres aquí el amo. A ti no te pongo yo nueve pesetas por el corte..., ni ocho tampoco..., ni tampoco siete siquiera; porque como tú ya en lo que te has llevao nos has dao a ganar unos ochavos, te voy a tratar como tú te mereces y te voy a poner..., te voy a poner..., ¡ea!, te voy a poner lo mismito que nos cuesta: doce pesetas na más por los dos, y vete ya, hombre, vete pronto, no sea cosa que me arrepienta y te quite los pantalones.

Total, que se fue el *Moreno* con su pana, y que yo me fui a la presidencia y me quité la montera y que el viajante me dijo:

—Es usté más torero que el que vive tan cerca de la Mezquita.

—Y tuvo razón el viajante.

—¡Que si la tuvo! Mire usté: estando yo una vez en Algeciras... Pero ¿qué es esto, camará, ya hemos llegao?

—¡Ronda, quince minutos!

—¡*Chavó*,[23] y cómo juye este argaijo! ¡Bueno, qué se le va a hacer!... Pues, amigo, en otra ocasión ya se lo contaré... Quédese usted con Dios, y ya sabe usté, Antonio Urdiales, en Morón.

---

[23] *Chavó*: chaval, mozuelo.

—...

—Pues hasta otra vez, si Dios quiere.

—Buen viaje, y muchas, muchísimas, pero que muchísimas gracias.

—Gracias, ¿por qué?

Y retirándome bruscamente de la ventanilla, me hice el sordo a la pregunta de aquel sevillano franco y alegre, locuaz y ponderativo.

José M.ª Pemán

Las niñas

José María Pemán

Nacido (1898) y muerto en Cádiz (1981), José María Pemán estudió Derecho en Sevilla y se doctoró en Madrid, ciudad esta última donde ocupó el cargo de director de la Real Academia de la Lengua durante seis años.

Hombre culto y de profundas raíces andaluzas, estaba especialmente dotado para la oratoria, como demostró en numerosas conferencias en universidades y centros culturales de todo el mundo. Y se manifestó, asimismo, como extraordinario articulista en la prensa.

Alejado de academicismos, se manifestaba como un escritor inteligente, lúcido, con un humor elegante que a veces hacía uso de la ironía, y siempre arraigado en una filosofía vital, cristiana, de muchos quilates.

Su espíritu abierto lo invitaba a asistir a todo tipo de manifestaciones culturales: conferencias, conciertos, corridas de toros, y cine, género éste en el que vio convertidas algunas de sus obras.

En el género teatral destacan *El divino impaciente*, *Julieta y Romeo*, *En las manos del hijo*, etc. Entre sus libros de poemas, *De la vida sencilla*, *Poema de la Bestia y el Ángel*, *Las flores del bien*. Y de sus novelas, *Señor de su ánimo*, *La novela de San martín* y *El horizonte y la esperanza*.

Poco antes de morir el Rey Juan Carlos I le impuso el Toisón de Oro, la más alta distinción que otorga la monarquía española.

Las niñas

Ser soltera o doncella, en esta Andalucía tan dada a abultar las cosas,[1] es toda una profesión que imprime carácter, como el ser cura o el ser militar. La doncella se sigue llamando «niña» toda la vida, y conserva en su gesto y en su trato un apocamiento pudoroso. Hay «niñas» de cincuenta o de sesenta años que no se atreven a ir solas a la Misa Mayor de la parroquia, y que le preguntan tímidamente al chófer si pueden leer *Pequeñeces*, del padre Coloma.[2]

Por eso, en toda Villachica, las tres solteronas de Valdeíñigo —Rosario, Purificación y Dolorcitas— son conocidas, generalmente, por «las niñas», a secas. Tienen sesenta y uno, cincuenta y siete y cincuenta y cinco años, respectivamente; pero basta, sin embargo, que se diga «las niñas» para que la imaginación se represente a Dolorcitas, Purificación y Rosario, con sus rostros empolvados, con sus peluquines de amarillo tornasolado como el de un bigote manchado de nicotina.

«Las niñas» viven en un caserón inmenso y blasonado, último resto de su antiguo y pingüe[3] caudal, lleno todo él de goteras, ratones e hipotecas. Ocupa toda una

---

[1] A la exageración. [2] Luis Coloma (1851-1915), jesuita nacido en Jerez de la Frontera, conocido, especialmente, por su novela *Pequeñeces*. [3] *pingüe*: abundante, copioso.

manzana del pueblo, y con decir «la casa de las niñas», todo el pueblo la conoce. Todos miran la casa con cierto temor supersticioso, porque tras sus anchas ventanas enrejadas se ven, desde la calle, unos salones largos, interminables, en cuya penumbra destacan, como fantasmas, las arañas, los sofás y los sillones enfundados de lana blanca.

Aquella casa, grande y fría, merece el requiebro bíblico de «huerto cerrado» y «fuente sellada». Es, por esencia, la casa del recato y del pudor. Rosario, Purificación y Dolorcitas no han conocido el amor. Como son de linaje muy principal, y, por otra parte, están arruinadas, no encontraron maridos en el pueblo,[4] ni pudieron salir a buscarlos a la capital o a Madrid. Es una de esas tragedias lógicas y sin importancia que traen las circunstancias triviales de la vida. Sólo Dolorcitas tuvo un asomo de noviazgo con un marqués que vino al pueblo en su busca. Duró «la cosa» unos meses, hasta que, al fin, resultó que el marqués no tenía título, sino que era un vista de Aduanas, procesado. Cuando se enteró de que Dolorcitas no tenía fortuna, se marchó sin despedirse de ella a Portugal. Aquella historia vulgar y triste quedó en la casa bajo el nombre alusivo y prudencial de «lo de Dolorcitas». Es un recuerdo agridulce; la única fecha memorable que hay en el calendario de «las niñas». Con arreglo a ella, computan toda su cronología. Cuando se trata de fijar alguna memoria pretérita, dicen: «esto fue antes o después de «lo de Dolorcitas»...» Y al decir esto, las tres soltero-

---

[4] Existe cierta relación entre estas mujeres y las hijas de Bernarda en *La casa de Bernarda Alba*, de Federico García Lorca.

nas suspiran a un tiempo, hinchando levemente bajo sus largas batas sus pechos lisos e inútiles.

Después de aquel breve episodio, nada ha turbado la vida monótona del caserón. Las horas iguales, rítmicas, pausadas, van pasando a modo de una recua[5] de mulas cansinas por los largos salones enfundados, en cuya penumbra, como ojos abiertos de un cadáver, blanquean las esferas de los solemnes relojes isabelinos, con los minuteros inmóviles. Todo el día reina silencio en el caserón.

Únicamente, a la hora de ánimas, suele oírse un leve susurro beato. Es que «las niñas» rezan el rosario. Como el caserón está lleno de ecos por todos sus rincones, el susurro se extiende por él largo y monótono. Parece que desde sus lienzos contestan también las avemarías, al unísono, todos los antepasados: el obispo, el calatravo,[6] el oidor,[7] el almirante...

Por las noches, el cura, que es el único amigo de la casa, viene a hacer la tertulia con las tres solteronas. La tertulia consiste en sentarse los cuatro, frente a frente, en unos altísimos sillones de terciopelo chafado,[8] con galón de oro. En el centro se pone un brasero medio apagado, junto al cual dormita el gato gris. Rosario zurce medias. Purificación lee el *Año Cristiano*,[9] Dolorcitas recorta sellos para enviarlos a los misioneros de China, y el cura dormita sobre el breviario. Transcurre así una hora. Al cabo, el cura dice: Buenas noches... Y se acaba la tertulia.

---

[5] *recua*: conjunto de animales de carga, que a menudo avanzan en fila india. [6] *calatravo*: caballero de la Orden de Calatrava. [7] *oidor*: ministro togado que en las audiencias del reino oía y sentenciaba las causas y pleitos. [8] *chafado*: aplastado, sin duda, por el uso. [9] Conocido almanaque.

Así se va consumiendo lánguidamente la vida de «las niñas», entre los paredones tristes y señoriales, cargados de escudos y de varones inútiles pintados. La doncellez a la andaluza de «las niñas» es algo épico y heroico. Nunca ha sonado en aquella casa una palabra atrevida o ligera. Cuando han de leer un libro, primero lo lee el cura para ver «si tiene algo». Luego, Rosario, que es la mayor; luego Purificación, y al fin, Dolorcitas. Pero a ésta, sus hermanas le doblan el pico de algunas hojas para que las pase por alto. Cuando alguna visita, confiada en los años de «las niñas», desliza alguna murmuración de la pequeña crónica escandalosa del pueblo, Rosario, Purificación y Dolorcitas se distraen al unísono y miran con insistencia, junto al techo de la sala, el lienzo grande del Sacrificio de Isaac.

«Las niñas» están completamente arruinadas. De vez en cuando entra en el caserón un viejo con cara de chivo, que les habla de hipotecas y préstamos. Unas veces se lleva un cuadro, otras un reloj. Las tres solteronas se reúnen para escucharle en conciliábulo. Él hace rápidamente cuentas de pesetas y duros. Pero ellas le dicen:

—Díganoslo en reales, que es como lo entendemos nosotras.

Abajo, en una cochera húmeda, llena de telarañas, tienen arrumbada una berlina.[10] Es una berlina antiquísima, de cuando tenían cochero y caballos, barnizada de verde, con escudo en la portezuela. Tiene algo de litera o de silla de manos, y sus curvas entalladas recuerdan la

---

[10] Coche de caballos, cerrado, que solía disponer, normalmente, de un par de asientos

levita romántica de Fígaro.[11] Se la han querido comprar
muchas veces. Pero «las niñas» se niegan sistemáticamen-
te a venderla, porque, aunque no sirve para nada, está llena de recuerdos. En ella, hace muchos años, cuando aún
vivía su madre y ellas andaban por los trece y los catorce,
las tres iban al paseo del Río, entre las largas filas de palmeras. El paseo estaba lleno de sol, y ellas llenas de risas y
esperanzas. Tras los cristales de la berlina, les ponían mo-
tes a los muchachos del pueblo. El registrador era «la ci-
güeña», por sus piernas largas, y el juez era «huevo hila-
do», por su cabello rubio. Luego, cuando fueron mayores,
se fueron enterando de que su madre era viuda de un maestrante,[12] y el juez y el registrador[13] eran «de otra clase»...

    ¿Son felices o desgraciadas «las niñas»? ¿Lo ignoran
todo, o todo lo ocultan? ¿Guardan algún anhelo o alguna
desilusión bajo sus peluquines amarillos? No se sabe: todo se estrella contra la roca imposible de su pudor co-
rrectísimo, de su recato admirable de «niñas andaluzas».

    De cuando en cuando, toman una criada joven y ro-
busta, que pone en algún momento en el caserón el trino
de una copla. A los pocos meses, a la criada le sale un novio, y se va. Al año viene a saludar a las señoritas con un
niño en brazos. Rosario, Purificación y Dolorcitas le be-
san sucesivamente, y el niño llora porque las tres tienen
un poco de bigote... Luego, Dolorcitas, Purificación y Rosario, se quedan pensativas.

    [11] *Fígaro*: seudónimo de Mariano José de Larra (1809-1837), uno de los es-
critores que encarnaron el romanticismo español tanto por su vida como a través de su obra.   [12] *maestrante*: cada uno de los caballeros de la maestranza,
sociedad que se dedicaba a ejercitarse en la equitación y el manejo de las armas a caballo.   [13] *registrador*: autoridad pública que anotaba en el registro todos los privilegios, cédulas, cartas o despachos librados por el rey, etc.

El gato gris y lanudo, que es el cuarto miembro de la familia, falta, a veces, de casa muchos días. Es novio de la gata blanca del cartero, que vive en la esquina. La gata blanca entra por la gatera del portalón en la cochera llena de humedad y telarañas. Ambos celebran sus idilios en los cojines grises de la vieja berlina entallada, que recuerda la levita romántica de Fígaro.

Las tres solteronas, cuando encuentran al gato gris por las largas galerías, le acarician, con sus manos de momias, el lomo arqueado y fino, y dicen al unísono: «¡Picarón! ¡Picarón!»

¿Lo ignoran todo, o todo lo ocultan?

Juan Ramón Jiménez

El zaratán

Juan Ramón Jiménez

Nacido en el pueblecito onubense de Moguer (1881), Juan Ramón Jiménez llegó a ser conocido como "el andaluz universal", sin duda por su continuado recuerdo de su región, que cantó de mil maneras sin caer en los tópicos.

Inclinado desde su infancia a la pintura, que no abandonaría nunca definitivamente, fue sin embargo la poesía el género que le proporcionó renombre universal y el Premio Nobel en 1956.

A la poesía dedicó toda su vida y su inspiración, en compañía de una mujer excepcional como fue su esposa, Zenobia Camprubí. Con ella contrajo matrimonio en Nueva York (1916) y a ella dedicó bellísimos poemas del *Diario de un poeta recien casado*.

Entre sus mejores textos hay que considerar *Platero y yo*, un prodigio de prosa poética donde recupera su infancia en Moguer así como otros momentos de su vida.

No menos importantes fueron sus numerosos libros de poesía, que dieron aliento a los jóvenes poetas de la generación del 27, auténticos discípulos suyos. Y los libros donde lleva a cabo recopilaciones de sus famosas "caricaturas líricas", especie de retratos irónicos.

Durante la guerra civil española tuvo que exiliarse, vivió en Estados Unidos, y dio conferencias y recitales en diversas partes de América. Murió en Puerto Rico, en 1958.

El zaratán

A
NICOLÁS RIVERO
el noble galleguito de Moguer,
que cuando yo no tenía ya caballos
me dejaba su potro canelo;
si él vive todavía.

Y si no, a su memoria.

Tiene un zaratán.[1]
—Lo tiene en el pecho.
—Se la está comiendo viva ese maldito zaratán.

Josefito Figuraciones[2] veía a Cinta Marín con el zaratán en el pecho, entre los pechos, en medio del pecho blanco, blanco de leche. Porque la mejilla de Cinta, su mano, su muñeca, eran blancos mates de leche. Y ella se miraría el zaratán rojo en su pecho blanco, con sus ojos negros.

Sí, Josefito se figuraba el zaratán como un lagarto grana, un cangrejo carmín, un alacrán colorado. Eso es, eso era, un alacrán colorado que estaba pegado allí, vientre con pecho,

[1] *zaratán*: cáncer de mama, aunque para el protagonista es un bicho diabólico, una especie de cangrejo que se está comiendo a Cinta Marín. [2] Seudónimo o *alter ego* de J. Ramón Jiménez. Al parecer se lo puso su propia madre cuando, adolescente, se pasaba mucho tiempo ensimismado o mirando por un calidoscopio.

con sus pinzas, sus uñas, su hocico, su boca, sus dientes, su pico, su lengua, sus patas, su aguijón arqueado eréctil, sus alas frenéticas, en el pecho blanco de Cinta Marín.

Todos, todas miraban a Cinta Marín, recién viuda, con pena o miedo o lástima o repulsión. Pero ninguna, ninguno, nadie podía quitarle el zaratán del pecho. Ni la curandera de Valverde del Camino,[3] que tenía gracia en la lengua, ni los curas ni los médicos de Moguer con sus antídotos ni sus mejunjes, ni los mejores y más pedantes médicos de Huelva, de Sevilla, de Cádiz; porque la habían llevado ya a todas partes, a lo mejor de la ciencia, el arte y la milagrería, a ver si le quitaba alguien del pecho el zaratán. Aunque todo el pueblo se hubiese puesto a tirar de él, como cuando subieron la campana gorda a la torre mayor de Santa María de la Granada,[4] no hubieran podido despegárselo del pecho.

Y Cinta pasaba de negro riguroso, de doble luto total, muy encogida en su imposible, muy abrigada, como una monjita escamoteada de cuerpo, con su zaratán en su pecho y sus manos blancas, unos lirios mates, sobre su estameña,[5] su corpiño[6] y su zaratán.

Algunos murmuraban que Cintita Marín no era tan santita como parecía; que estaba condenada, poseída del demonio, perdida, maldita para siempre, porque había hecho esto y lo otro. Josefito llegaba a ver el zaratán como un Diablo, un Satanás, un Lucifer, un Belial, un Belzebú, un Luzbel enamorado. Y a lo mejor ¿quién lo sabía? Ella,

---

[3] Villa de la provincia de Huelva. [4] Iglesia de Moguer, cuya torre es una copia de la famosa Giralda (alminar árabe) de Sevilla. [5] *estameña*: tejido ordinario de lana, que tiene la urdimbre y la trama de estambre. [6] *corpiño*: especie de jubón sin mangas.

Cinta Marín ¡qué espanto, qué odio, qué asco! estaba enamorada también del diablo, del demonio del zaratán.

Y Josefito relacionaba entonces el zaratán del demonio con Manolito Lalaguna, con Isidoro Arnáiz, con Gus-
tavillo Rey, con todos los que se decía por el pueblo que
les daban vida arrastrada a las mujeres, que mataban de
hambre, de frío, de abandono a sus pobres mujeres la-
cias, desmejoradas, anémicas, vestidas todas de un solo
oscuro liso, como Lolita Navarro, como Herminia Picón,
como Reposo Neta, como Cinta Marín.

En los días de gloria mayor, cuando las campanas de
Moguer, ánjeles altos morenos con alas de bronce, levan-
taban el pueblo de sus cimientos rojos, sus montes de es-
coria, y lo alzaban al mar verdiazul del aire, como una na-
ve blanca y verde, Josefito pensaba más en Cinta Marín.
Acaso veía cruzar su endeble sombra escurrida por el sol
fijo de las esquinas, tras la jente parada, hombres del campo y señoritos.

Algunas tardes se iba Josefito por el barrio de Cinta
Marín, la calle última de lo más alto, la de Los Corales, a
ver si la sorprendía sola con el zaratán en su casa de puerta amarilla, abierta siempre al ocaso de par en par para
que entrara bien el aire con yodo de los dos ríos, El Tinto y
El Odiel, tan bellos en su sosegado derivar por las maris-
mas inmensas. Y a veces la veía entre las dos puertas, re-
cortada, aislada en sí, en su dura muerte casi, por la luz vi-
brante, sonora, un negro esqueleto fundido, un enjuto
ataúd de pie, pero siempre con su borde divino de azuce-
na fantasma en lo negro, su orilla en flor de largo junco
blanco.

Cuando los niños salían del colejio de don Joaquín de la Oliva y Lobo hablaban exaltados, calle de La Aceña abajo, de Cinta Marín y el zaratán.

—Es como unas tenazas.

—Ya tú lo dijiste.

—Como unas tenazas. Bueno, éste lo quiere saber todo.

—Es que a mí me lo ha dicho Pastora, Pastorita, que vio un zaratán en el Moro.

—Es un zaratán como el que tuvo también la hija mayor de Lolo Ramos, que decía don Domingo el médico que daba miedo ver el destrozo que le había hecho por la carne.

—Bueno, vámonos a jugar a la plaza de las Monjas.

—Si pasaba Cinta Marín, todos bajaban la voz y se hacían los tontos. Y ella, tan mate, tan delicada, tan airosa, tan centella de plata y de ceniza, los miraba triste y a veces sonriendo, con sus ojos negros hundidos en la sombra picuda de su pañuelo negro de lana.

—¡Vamos a preguntarle cómo es el zaratán!

—¿A que no te atreves tú a decirle que nos enseñe el zaratán?

—¡Y que se cree éste que nos lo va a enseñar! ¡Si lo tiene en el pecho, hombre, si lo tiene en el pecho!

—Y que se la está comiendo viva...

Josefito Figuraciones se representaba el pecho de Cinta Marín como una casilla blanca con todo, así como la casilla del enterrador, zaguán[7], patio, comedor, galería, sala, corral, dormitorio.

---

7 *zaguán*: espacio abierto por el que se entra a una casa, próximo, por tanto, a la puerta de la calle.

Algo como un hormiguero de una sola hormiga, un hormigón; o un panal virjen sin abejas, con el zángano solo.

—Y cuando el zaratán está durmiendo ¿no se podría cojerlo y matarlo?

—Tú te imajinas que el zaratán se va a dormir. ¡Los zaratanes no son tan tontos como tú! ¡Los zaratanes no duermen, hombre! Son como los mochuelos. ¿No has visto tú los mochuelos cómo miran por la noche? Pues así mirará el zaratán.

De modo que, según decía el buenazo de Nicolás Rivero, el noble galleguito, que ya era mayor, el zaratán no dormía. Nicolás debía de saberlo, porque tenía detrás de su casa un huerto grande con toda clase de animalillos. Y Josefito, en sus madrugadas de desvelo, pensaba, fijo el pensamiento contra el techo, que el zaratán no dormía, que estaba despierto como él... y como Cinta Marín. Porque, entonces, Cinta Marín tampoco dormía. ¿Pues y cómo iba a dormir Cinta Marín con el zaratán despierto sobre su pecho?

Y veía a él sobre ella, colorado, muy colorado en lo blanco, en lo negro, en lo oscuro, colorado fosforescente, con unos ojitos de chispa rubí, esmeralda, turqués, cambiantes como los ojos postizos de don Augusto de Burgos y Mazo, que se compró doce ojos de doce colores distintos cuando lo dejaron tuerto de un tiro una madrugada. Como una joya viva, blanda y dura, verde y grana revueltos, uno de esos alfileres grandes de pecho de las señoras, sólo que en vez de estar clavado en la ropa, sobre la seda, el terciopelo, el encaje, estaba clavado, enquistado, metido en el seno de Cinta Marín. Y ella, tendida, víctima blanca de ojos resignados, del zaratán, de la joya, del alfiler, del diablo.

134

—Pues mi hermana dice que Cinta Marín...

—¿A que no nombras tú más a Cinta Marín?

—Josefito es tonto. ¡Pues no se figura que él solo va a poder nombrarla! ¡Ni que fuera el mismo zaratán!

—¡Lo que me figuro es que tú no nombras más delante de mí a Cinta Marín!

—¿Es que me la voy acaso a comer? ¡Mira éste, ni que fuera yo el zaratán!

—¡Qué vas tú a ser el zaratán, hombre! ¡Qué vas tú a ser el zaratán! ¡Ojalá que lo fueras! ¡Entonces, ya tú verías!

Aunque Cinta Marín vivía lejos de Josefito y había tanta jente por medio en el pueblo, tantos marineros y tantos hombres del campo y tantos señoritos parados en las esquinas, en todas las esquinas hasta la última, la de Juanito Betún; él sabía siempre dónde estaba ella, y la veía en todas partes, por todas partes, desde todas partes, bocacalles, portadas, caminos, azoteas, ventanas, tejados, miradores, torres. Y cuando se iba de temporada a los montes, la veía mejor y más a todas sus horas, aunque también más pequeñita, con el zaratán más pequeñito, por encima de todo, agua y arena, colinas y cañadas, naranjos y viñas y olivos; por encima del mismo Pino de la Corona, allí en las casas finales de cal del otro lado del pueblo, o contra el vallado largo de tierra amarilla de Las Angustias, o junto al pozo viejo de la Cuesta de la Ribera, donde ella solía sentarse a descansar bajo la higuera cuando subía de los Molinos; o al lado de la otra higuera grande venenosa del Cristo, frente al Odiel violeta y la hermosa puesta del sol sobre el Tinto granate.

¡Qué fantasías se hacía Josefito, solo por los montes desiertos, por los pinares medrosos, contra el zaratán! ¡Si él pudiese arrancárselo del pecho a Cinta Marín y dejarla buena, sana en su blancura, como un nardo sin daño, sin gusano, sin hormiga, cómo se lo agradecería ella! ¡Qué descansada la dejaría, con qué dulzura le sonreiría, con su pecho otra vez entero, repuesto, liso! Y él estaba seguro de poder con el zaratán, por muy monstruoso que se volviera, y se atrevería entonces mismo a sacárselo, pero aunque llegaba casi hasta ella algunas veces y muy decidido, le daba vergüenza decírselo porque ella tenía más de veinte años y él sólo trece, y a lo mejor, ella se reiría de él. ¡Y eso sí que no, y eso sí que no!

¿De dónde habría salido aquel maldito zaratán, de debajo de qué piedra, de qué árbol hendido, partido, de qué cueva húmeda, de qué horno abandonado, de qué caño inmundo, de qué chimenea negra, de qué honda poza? ¿Y cómo se metió allí, en el pecho blanco de Cinta Marín? ¡Como no fuese que ella misma le abriera su corpiño, que ella misma lo dejara entrar!

¡Y entonces era a ella a quien él debía matar! ¡A ella, sí a ella, a ella mismita! Y Josefito se revolvía jirando de ira en el sol, como un pequeño ciclón, cortando el aire moreno con el rodrigón[8] que zumbaba igual, ón, ón, ón, que un agrio perro aullante.

¿Sería el zaratán aquel lagarto largo del Camino de los Llanos, que lo miraba al pasar él, de aquel modo tan raro, tan agudo, tan provocativo, sin irse del todo a su agujero? ¿Y cómo podría estar, al mismo tiempo, en el

---

[8] *rodrigón*: vara, palo.

vallado del Camino de los Llanos y en el pecho de Cinta Marín? Sin duda tenía, según él había leído del diablo, el don de la ubicuidad,[9] que él, maldito sea, no tenía, él, Josefito, que valía más que el zaratán. Todos los lagartos, calentureros,[10] gañafotes,[11] escarabajos que se iba encontrando Josefito por el campo traspasado del sol último, en una cepa apolillada, bajo una piedra verde, en una dejada ruina, en una verja mohosa abierta a la cizaña, eran presa de su iracundia, de su despecho, de su desesperación. Y los aplastaba con los tacones de las botas de montar, con un pico, con un guijarro, o los quemaba con el encendedor, o les clavaba escalofriado la navajita de los piñones, que tenía aquel rubí falso con la Torre Eiffel. Rubí como el zaratán, como el zaratán.

Y lleno de despojillos sangrientos que no se podía despegar, de olores vivos animales, vejetales y minerales, se volvía con triste lentitud, ya por lo oscuro, camino de la casa del pinar, su blanca Fuentepiña, frente por frente de Montemayor. Coronado de rojo final por el crepúsculo desafiando la inmensa soledad y el secreto profuso de la plana hora baja, Josefito, Persefito[12] ahora por su propia gracia y valor, gozaba su concentración entrañable. Reía, gritaba enloquecido la imposible hazaña de encontrar al monstruo ubicuo, al espantoso zaratán, grande en el crepúsculo como un saurio; de luchar con él, de vencerlo, de estrangularlo, de llevarlo arrastrado por todo el pueblo, como un trofeo, a su pobre y desvalida Cinta Marín.

---

[9] *ubicuidad*: que está presente en varias partes a la vez.   [10] *calenturero*: abejorro de color tabacoso, cuya presencia se tiene como señal de buen agüero.
[11] *gañafote*: saltamontes.   [12] Otro alias del joven Juan Ramón.

Juan Eslava Galán

La primera comunión

Juan Eslava Galán

Nació en Arjona (Jaén) en 1948, y estudió Filología Inglesa en Granada. Tras una estancia en el Reino Unido, donde afianzó su conocimiento de la lengua de Shakespeare, se doctoró en Historia Medieval.

Se trata, pues, de un hombre polifacético, con intereses culturales muy diversos, a quien la obtención del Premio Planeta de 1987 con *En busca del unicornio* no ha impedido que prosiga su labor docente en un centro sevillano.

Historiador, ensayista y traductor, ha escrito sobre la Roma de los Césares, sobre Grecia, sobre la Sábana Santa, sobre Aníbal, y sobre mil temas más, incluida la guerra civil española. Durante esta última situó su novela *Señorita*, con la que obtuvo el Premio de Novela Fernando Lara en 1998, cuatro años después de haber obtenido con *El comedido hidalgo*, el Premio Ateneo de Sevilla.

Su análisis de la posguerra española queda irónicamente documentado en *Escuela y prisiones de Vicentito González*. Bajo seudónimo de apariencia inglesa es autor también de novelas donde refleja la realidad española del siglo xx.

La primera comunión

Todavía no habían cantado los gallos en los corrales y ya hervía la casa de actividad. Lorenza, la criada, echó el chisco,[1] puso agua a calentar y subió a despertar a Vicentito, pero, en vista de que el niño no acababa de levantarse y de que seguía remoloneando en la cama, tuvo que subir la madre y despabilarlo de un buen pellizco.

—¡Arriba, gandul! Que no tenéis temor de Dios, haraganeando en la cama cuando ya está el sol en las eras. Tenías que haberme visto a mí cuando hice mi primera comunión, que no pude pegar un ojo en toda la noche de la emoción que tenía. ¡Aquello sí que era devoción!

Vicentito, bien despabilado ya, estaba en pie sobre la alfombrilla y se frotaba el brazo dolorido. Reapareció Lorenza, la criada, llevando entre las manos una humeante olla de agua caliente que vertió en la jofaina.[2] La madre de Vicentito le rebajó un poco la temperatura añadiéndole un chorro de agua fría del jarro del lavabo. La nube de vapor que desprendía la jofaina empañaba el espejo. La madre de Vicentito comprobó la temperatura del agua introduciendo en ella dos dedos durante una décima de segundo.

[1] *chisco*: lumbre, fogata, pero puede referirse también al carbón vegetal.
[2] *jofaina*: vasija que sirve principalmente para lavarse cara y manos.

142

—Ya está fría —sentenció y se arremangó cuidadosamente los brazos—. ¡Vete desnudando, gandul!

Vicentito se quitó el pijama a rayas blancas y azules, muy remendado, que le daba cierto aire de presidiario. Luego se despojó de la camiseta y de los calzoncillos y quedó en carnes, encogido, tiritando de frío y con la piel de gallina. En el pueblo las madrugadas de mayo son heladoras.

Para mitigar el frío, Vicentito se frotaba enérgicamente las manos y las introducía, calentitas, entre los ateridos muslos. Un súbito tortazo le sentó en la cama y le hizo olvidar la temperatura durante unos minutos.

—¡Guarro! ¡Ni en el día de tu primera comunión puedes tener respeto a tu pureza y dejar de tocar las partes sucias de tu cuerpo!

Vicentito no entendía muy bien lo que su madre quería indicar porque todavía no conocía los usos de aquellas partes, además del mingitorio,[3] claro, y, por otra parte, le parecía que no estaban tan sucias puesto que la noche anterior Lorenza lo había enjabonado de arriba abajo frontándolo con un estropajo hasta dejarlo casi en carne viva, en el lebrillo[4] de la cocina, enfrente de la lumbre. Por cierto que había pasado muchísima vergüenza porque no paraban de entrar vecinas a pedir sal o a dar recados y todas tenían que decir alguna gracia sobre sus desnudeces. No obstante, Vicentito se abstuvo de hacer preguntas a su madre que se veía que andaba algo nerviosilla aquella dichosa mañana.

[3] *mingitorio*: relativo a la micción.　[4] *lebrillo*: vasija, casi siempre de barro vidriado, que sirve para lavar, lavarse, para contener ensaladas, gazpacho, etc.

La madre de Vicentito puso la jofaina en el suelo y le cercó un reclinatorio viejo que hacía las veces de silla baja para que Vicentito se sentara a lavarse. Como el agua estaba casi hirviendo, Vicentito se repeló los pies y uvo que sacarlos con un grito. A la sarta de ayes que propiciaba la quemadura se añadió la correspondiente a a nueva bofetada que la madre le propinó porque, al acar los pies, había derramado un poco de agua. La segunda bofetada del día y todavía no habían dado las siete de la mañana. Comenzaban a oírse los gallos en los corrales. Además del alegre saludo matinal del gallo, Vicentito percibía el doméstico zumbido de su oído porque la segunda bofetada le había acertado plenamente en la oreja izquierda.

La madre de Vicentito volvió a introducir dos dedos en el agua y comprobó que, en efecto, estaba casi hirviendo. Añadió otro chorro del jarro del lavabo, esta vez más generoso, y enjabonó al chico de arriba abajo frotando con particular insistencia manos, cuello y orejas que eran las partes que iban a ser más notadas por sus amigas, muchas de ellas madres de otros comulgantes. Como era el segundo zafarrancho de limpieza que Vicentito sufría en las últimas diez horas, la piel del chico estaba ya bastante irritada y desde luego más limpia que una patena. Si Vicentito no se quejaba del nuevo raspado era simplemente porque advertía que más valía aguantarse un poco. Evidentemente su madre estaba un poco nerviosilla aquella mañana.

Para aliviar el escozor de su piel irritada, Vicentito se puso a pensar en los huesos de melocotón y en las tapas de cajas de cerillas que atesoraba dentro de unas latas

vacías, enterradas en el corral. Sólo su primo Juanele y é
conocían el emplazamiento del escondite del tesoro.

—¿En qué piensas, bobo? —le llegó la voz maternal—
¡A ver: recítame el Credo! A ver si te lo sabes.

Vicentito recitó el Credo. Mientras acababa de decirlo
pensaba, como otras veces, qué significaría «padeció so
el poder de Poncio Pilatos». Ese «so» lo tenía intrigado y
dubitativo. Si era la palabra que se decía para parar a los
burros, ¿por qué Cristo padeció «so» el poder de Pilatos?

—¡Ahora la Salve! —ordenó la madre cuando hubo
acabado el Credo.

Después de la Salve, Vicentito recitó el Padre Nues
tro, el Ave María y los Pecados Capitales. Luego las Vir
tudes Teologales, los Enemigos del Alma y los Misterios
del Rosario. Se lo sabía todo de pe a pa porque en los úl
timos cuatro meses de escuela no se había estudiado otra
cosa en el grupo de los comulgantes, mientras los otros
chicos repasaban las otras materias de la Enciclopedia
Álvarez. El cura daba catequesis al grupo todos los jue
ves y los tenía muy advertidos de que el que no se supie
ra el catecismo de memoria no estaría preparado para re
cibir al Señor. A decir verdad no todos los jueves había
catequesis. Algunas veces aparecía por la escuela el chi
co del casino y avisaba que el señor cura no vendría. Pe
ro éstas eran las menos. Normalmente la partida de do
minó terminaba antes de la salida de la escuela y el cura
podía acudir puntualmente a las siete para examinar a
los comulgantes.

Aunque el grupo de los comulgantes concitaba la en
vidia de los otros, de los que no cumplían siete años, a
decir verdad, no todo eran ventajas para sus componen

tes. En los cuatro meses de doctrina cristiana tenían que ser buenos y ejemplares y, como cada uno de ellos tenía el deber de vigilar y dar cuenta de las faltas que cometieran sus compañeros, se les veía muy transformados, obedientes y humildes, haciendo recados sin rechistar y dejándose arrebatar las canicas o los huesos de melocotón sin defender estas magras propiedades por la vía brava. Tampoco participaban en las peleas, generalmente a pedradas, con los del barrio de abajo y con los del Cantón del Cementerio, y esta inhibición de las tareas comunales les acarreaba la lógica pérdida de prestigio. No obstante, las pequeñas contrariedades se llevaban con resignación, teniendo siempre presentes las vidas de los santos y las historias pías que les leía el maestro en la catequesis. La resignación cristiana de los mártires entregados a las fieras ganó la palma del martirio y la felicidad eterna para los que supieron sacrificar las apetencias terrenas, siempre engañosas y obra del Maligno, en aras del puro y desinteresado amor a Cristo. Por el contrario, aquellos impíos que hicieron oídos sordos a la predicación de la Buena Nueva y se burlaron de la Iglesia y de sus ministros, o que incluso se atrevieron a perseguirlos, al morir reconocieron sus errores, pues fueron a cocerse en las calderas de Pedro Botero, condenados irremisiblemente al fuego eterno entre legiones de demonios de horrible aspecto dedicados a inferirles, es decir, a causarles, los más refinados y dolorosos tormentos, los sufrimientos más atroces. Había que estar siempre en gracia de Dios, pues, aunque uno observara una conducta intachable y fuese un cristiano ejemplar, si en el momento de la muerte daba la coincidencia de que se encontraba en pecado, se perdería tan irremisiblemente como si hubiese sido asiduo pecador. Por ejemplo, Paquito Carrascal de Fuentemplada, un chico al que todos creían un santo y que realmente lo hubiese sido de no haber dejado que su alma se empantanara un día aciago en el cieno del pecado. Sí, niños queridos, un día sisó a su madre cinco pesetas y cuando le llegó el momento de confesar sintió una irreprimible vergüenza y ocultó este pecado al venerable sacerdote que lo confesaba. Salía de la iglesia después de comulgar, ¡una comunión sacrílega puesto que no había cumplido fielmente con el sacramento de la penitencia!, y, de pronto, una racha de viento que se levanta, un extraño torbellino sobre el tejado del templo, una teja mal ajustada que se desprende... ¡la tragedia!: la teja fue a caer sobre la cabeza del infortunado Paquito y lo mató en el acto. Todos creyeron que era un santo y que habría ido a la Gloria. Todos sus amiguitos lo envidiaron. ¡Ahora estaría viendo a Dios, contemplando a Dios!... ¡No, hijos míos! Lo enterraron con fama de Santo, pero Paquito Carrascal de Fuentemplada se había condenado: se había condenado por los siglos de los siglos, ¡eternamente condenado! La misma noche del día de su entierro Paquito se apareció al venerable sacerdote del colegio, al padre espiritual de aquel pobre muchacho que había sido en vida: se le presentó rodeado de llamas y de olor a azufre y dando tremendos alaridos por los tormentos que eternamente padecía: «¡Padre, no me ponga más como ejemplo ante mis compañeros porque me he condenado y sufro castigo eterno! ¡Padre, la confesión de anteayer no fue sincera; le oculté un pecado y me he condenado!».

Por el contrario, Jesusito Castañeda de Bellalorce era un perdido, un libertino, un joven sin temor de Dios. Aunque pertenecía a una de las mejores familias de San Sebastián, ya en su primera juventud se había apartado de los sacramentos y se había entregado a la vida disipada, sin freno ni contención, sin amor ni temor de Dios. Tenía coche, porque podía tenerlo: tenía dos novias, porque podía tenerlas; tenía un apartamento, el antro o picadero donde perpetraba sus más execrables orgías, porque podía tenerlo... Pero Dios nunca duerme. ¡Dios castiga sin palo ni piedra! Un día salía de una casa mala donde había estado pecando y revolcándose en el cieno nauseabundo de la lascivia, donde había estado quebrantando el mandamiento más importante de la ley de Dios, ¡el sexto mandamiento!... Salía, pues, como digo, de aquel antro de perdición y, de repente, una racha de viento que se levanta, un extraño torbellino sobre el tejado de la casa de lenocinio,[5] una teja mal ajustada que se desprende... ¡la tragedia!... La teja no le cogió la cabeza de lleno, pero, aunque le pilló de refilón, lo dejó mal herido. ¡Padre que se nos va!, ¡padre que se nos va! Sus amigos buscaron el auxilio de un sacerdote: ¡Padre que se nos va! Acudió un venerable sacerdote que casualmente pasaba por allí. Arrodillándose en el charco de sangre que dejaba el infortunado Jesusito, pudo tomarle la confesión. El otrora depravado joven hizo una confesión verdadera, una sincera confesión general, en el momento de su muerte. Cuando el piadoso sacerdote le administró la bendición, una

5 *casa de lenocinio*: casa dedicada a la prostitución.

seráfica[6] sonrisa se dibujó en el rostro del joven y entregó su alma a Dios. Hoy Jesusito está en la Gloria. Una confesión sincera... Un verdadero arrepentimiento... Un gozo eterno, ¡eterno! Un gozo superior a todos los placeres que podáis imaginaros en la tierra. ¡Eterno! ¡Para siempre! ¡Sin principio ni fin!

Vicentito pensó que sería una gran idea aceptar las bofetadas de su madre a cuenta de la resignación cristiana. Aunque él llevaba poniendo la otra mejilla desde que tenía memoria y no veía gran mérito en ello, lo cierto es que la catequesis le había abierto los ojos sobre el posible aprovechamiento de aquellos sacrificios que habitualmente caían en saco roto. Sería como juntar huesos de melocotón o pastas de cajas de cerillas canjeables en el cielo por gracia santificante. Un tesoro invisible pero infinitamente más precioso que el terrenal y deleznable que poseía en este mundo, en latas que ocultaba en el corral.

Pero, como la naturaleza humana es tan mudable, Vicentito olvidó estos buenos propósitos cuando, ya limpio y seco, su madre le colocó sobre el baúl la ropa que tenía que ponerse. Horrorizado comprobó que en lugar de calzoncillos le había puesto unas bragas, blancas para más señas. La madre reía de buena gana.

—¡Ay, qué tonto eres Vicentito! Esto no son bragas que son calzoncillos. Comprados en Jaén, de lo más moderno que hay. Son para niños. ¿No ves que tiene aquí delante una raja para sacar la pitusa[7] cuando vayas a orinar? Orgulloso tenías que estar, que serán los primeros que llegan al pueblo.

---

[6] *seráfica*: de serafín.   [7] *pitusa*: familiarmente, pene, verga.

A Vicentito no lo convencían estas razones. Aquello eran bragas y él no se las ponía. Ante su viril resistencia la madre arreciaba tanto sus risas que casi se le saltaban las lágrimas y parecía estar atravesando una rara racha de excelente humor.

—¡Vamos, hombre! Póntelos, que son calzoncillos. ¡Verás qué bien te sientan! Luego le preguntas a tu padre que los compró el martes pasado en Jaén. Que esto es lo más moderno que hay. Además, cuando te los pongas y luego te metas los pantalones nadie va a ver lo que llevas debajo; así que tú puedes ir tan tranquilo con esas bragas, digo calzoncillos, sin que nadie se ría de ti ni piense que eres mariquita.

Vicentito no se dejaba convencer. Que él no se ponía aquellos calzoncillos. Que quería unos del modelo antiguo.

Finalmente se puso los calzoncillos-bragas (el agudo lector habrá adivinado hace rato que se trataba de unos «slip»), después de añadir la tercera bofetada de la mañana a la colección de los méritos por paciencia y resignación cristianas canjeables en el Cielo. Como dolía bastante y además le había cogido muy de sorpresa, Vicentito comenzó a hacer pucheros y parecía que iba a romper a llorar.

—¡Eso no! ¡No vayas a llorarme ahora! —se alarmó la madre haciendo firme propósito de no atizarle más aquel día, por lo menos hasta después de la comunión—. ¡No me vayas a llorar ahora y que se te hinchen los ojos! Hoy tienes que ir más guapo y más feliz que nunca, que es el día de tu primera comunión. Anda. Suénate los mocos, no se te vayan a bajar luego y parezcas un pobre.

—¿Dónde? No tengo pañuelo —dijo Vicentito entre hipidos.

La madre se impacientaba.

—¡Ay, qué pocos ardiles[8] tienes, hijo! ¡Hay que ponerte las cosas en las manos! ¡Suénate en la camiseta! Fíjate bien que sea en la sucia: no vayas a soltarle una mocarrera a la que te tienes que poner hoy.

Vicentito se sonó con fuerza en la camiseta sucia, tibia todavía.

—¡Más fuerte! ¡Más! Que queden bien limpias esas narices —supervisaba la madre.

Vicentito se sonó otra vez, con tanta fuerza que le pareció que se le bajaban los sesos por las fosas nasales.

Cuando, ya vestido, se contempló ante el espejo del armario de la habitación contigua, que era de cuerpo entero, Vicentito dio por bien empleados el madrugón y el largo calvario catequístico de los últimos meses. El traje de primera comunión era, a falta de la gorra de plato, que no la tenía, un rutilante disfraz de general. De general de zarzuela, para ser más precisos.

En las charreteras[9] llevaba bordadas sendas cruces brotando de cálices y le colgaban por el borde hermosos flecos dorados. De la charretera izquierda le salían gruesos entorchados, también dorados, que iban a parar a la botonadura, igualmente dorada y embellecida con relieves alusivos al Pan, a la Vid y al Cáliz que le descendían en dos filas a los lados del pecho. Era el traje más caro de la tienda. Lo habían comprado dos meses atrás, en Cór-

8 *ardiles*: reaños, bríos, fuerza.   9 *charretera*: divisa que se coloca sobre los hombros. Suele ser de oro o dorada.

doba, sin que valieran de nada las protestas del padre de Vicentito, que opinaba que en los comercios de Jaén también había buenos trajes de primera comunión y que no había necesidad de alquilar un coche para ir a Córdoba a comprar uno.

—¡Qué desastre eres! —le había dicho su dulce esposa—. ¡No sé ni cómo estuve para casarme contigo! ¿Qué quieres: dar lugar a que llegue el día de la primera comunión y resulte que hay otro niño vestido con el mismo traje que tu hijo? Y a lo mejor el hijo de un muerto de hambre que tiene a gala gastarse en comprar el traje todos los jornales de la aceituna para poder compararse a los ricos... ¡Tú fíjate qué afrenta! ¡Tú mira la afrenta que nos puede venir! ¡Vamos, que si lo que tú quieres es que yo pase por esa vergüenza no tienes más que ir a Jaén y comprar tú solo el traje y me ahorras a mí la molestia! O es que te crees que es para mí un plato de gusto tener que ir ahora a Córdoba con lo que me mareo en los coches. ¡Qué desastre eres, Vicente! Lo que te pasa a ti es que nunca te has sacrificado por tu hijo ni sabes lo que es sacrificarse. Claro que si en vez de ser una cosa de religión fuera de fútbol o de toros otro gallo cantaría. Lo que te pasa a ti es que eres un descreído como todos los de tu familia y tu casta entera. ¡Ay, si ya me lo decían a mí! ¡Tú sabrás en qué casa te metes! Si donde no hay buenos cristianos no se le pueden pedir peras al olmo... ¡Ay, Dios mío, Jesucristo! ¿Qué te habré hecho yo para que me castigues así? ¿Qué pecado tengo? ¿Cómo he merecido yo esta cruz?

Fueron pues a Córdoba y allí compraron el dichoso trajecito después de andar y desandar lo menos cuatro

veces todos los comercios de la ciudad. A la madre de Vicentito le había gustado más un traje que tenía más gruesos los cordones de los entorchados,[10] pero lo descartó
porque era un poco más barato y ella quería que su hijo
llevara lo mejor de lo mejor.

Con los pies hechos polvo y mintiendo a las vecinas y
amigas que habían ido a Andújar a comprar unas plantas del vivero, regresaron al pueblo. El traje de general
iba disimulado en el fondo del cesto donde llevaron la
comida, bien liado en un paño, no fuera a mancharse.

Vicentito estaba muy contento con el traje y se veía
francamente guapo. Además, no podía evitar darse una
cierta importancia después de haber oído su nombre por
la radio la noche anterior.

Esa noche, la familia se había reunido a oír la radio
después del rezo del rosario. El aparato estaba encaramado en un soporte que el carpintero del pueblo le había
hecho a medida. Lo habían emplazado a considerable altura para que ni los niños ni los animales pudiesen al-
canzarlo, y el abuelo, que tampoco era muy alto, tenía
que subirse a un taburete para enchufar el aparato, y no
consentía que nadie más lo hiciera. Más vale que la radio
se acostumbre siempre a la misma mano, decía.

A las nueve, después del parte que daba noticia de la
inauguración de un pantano en Badajoz y de un desca-
rrilamiento de trenes en Katmandú,[11] que había ocasio-
nado seiscientas víctimas aunque casi todas ellas nati-
vos, venía el programa de discos dedicados, que era lo

10 *entorchado*: bordado en oro o plata que llevan como distintivo los generales, etc., en sus uniformes. 11 Capital del Nepal, en Asia, al nordeste de la
India.

que todo el pueblo estaba esperando con silenciosa impaciencia. Antes de poner un disco, el locutor leía las dedicatorias de los que solicitaban su emisión. Aquellos días casi todos los discos estaban dedicados a niños que hacían la primera comunión. La voz del locutor decía quién dedicaba el disco —a razón de diez pesetas dedicatoria—. A Vicentito le dedicaron cinco «de sus papás, tíos, abuelos y primitos, en el día más feliz de su vida». (¡Qué emoción al oír su nombre por la radio!). Uno de los discos fue «La Campanera», que estaba muy de moda entonces, cantado por Joselito, el pequeño ruiseñor. A Vicentito le gustaba aquello de:

> *¿Por qué has pintao tus ojeras,*
> *la flor de lirio real?*
> *¿Por qué has pintao tus ojeras?*
> *¡Ay, campanera!, ¿por qué será?...*

No podía faltar el disco de «Su primera comunión», a la cabeza del *hit-parade* aquellos días, sin duda, cuya letra, muy sentida y bonita, decía entre otras cosas:

> *Ha cumplido siete años*
> *y va a recibir a Dios.*
> *Los angelitos cantando*
> *chin, pon, su primera comunión...*

La solícita madre peinaba ahora a Vicentito con todo cuidado, procurando realzar la onda que la naturaleza había otorgado a la espesa cabellera del rapaz. El niño se dejaba hacer.

Cuando Vicentito bajó las escaleras e hizo su triunfal aparición en el comedor, la familia interrumpió el desayuno y se levantó de la mesa para recibirlo. La abuela había sacado, en su honor, la mantelería bordada de las grandes ocasiones y el comedor olía a ropa guardada, húmeda y alcanforada. Un enorme cuadro de la Santa Cena en relieve, con Cristo y los apóstoles en metal sobredorado, presidía la estancia. El Cristo tenía el brazo derecho articulado y contrapesado por un resorte invisible. Antes de comenzar cada comida, el abuelo le daba un golpe y el brazo se movía como si bendijera la mesa. Por chico que fuera el golpe las bendiciones aparentaban pasar de trescientas y muchas veces la familia estaba terminando a la sopa y el brazo seguía dale que te pego.

Sobre la mesa había una humeante chocolatera y una bandeja plateada colmada de churros, todavía calentitos, que Lorenza había ido a buscar a la freiduría de la plaza. Todos estaban desayunando sin esperar a la madre, que dijo que ya lo haría después, ni, por supuesto, a Vicentito, que tenía que guardar ayuno —doce horas de ayuno absoluto— antes de recibir la Eucaristía. Lorenza, que comía en la cocina, también compareció y dejó escapar un grito de admiración al ver al niño.

—¡Ay, pero qué guapísimo te ha puesto tu madre, hijo mío!

Fue una escena muy emotiva. A la abuela se le habían saltado las lágrimas. Todos abrazaban y besaban a Vicentito. La madre estaba también emocionada y tuvo que sobreponerse para decir:

—¡Ea, ea! ¡Vamos! ¡Seguid desayunando que tenéis que vestiros y se hace tarde!

Regresaron a la mesa y continuaron dando buena cuenta del chocolate y los churros. Como Vicentito estaba en muy buena edad de comer y además tenía cierta propensión a dejarse arrastrar por el pecado de la Gula, uno de los siete pecados capitales, aunque afortunadamente no el más grave, se veía que estaba muerto de hambre y que lo estaba pasando fatal.

—Dile que salga a ese chiquillo, mujer, que se le vaya a saltar la hiel —dijo el padre, que era la viva estampa del hijo y sabía lo malo que es ayunar.

—Bueno —concedió la madre—. Anda, Vicentito, salte al patio y espera allí a que acabemos.

Vicentito iba a salir al patio, a aplastar con el lomo de la uña a las hormigas que subían por la pared encalada (éste era uno de los sencillos pasatiempos que la vida pueblerina permitía a un chico de su edad), pero la voz de su madre lo alcanzó antes de que llegara a la cancela:

—¡Vicente, Vicente! —(mala cosa cuando la madre apeaba el diminutivo)—. Ven para acá. Más vale que no salgas al patio, no sea que te manches el traje de primera comunión y para qué queremos más.

—Pero si no voy a hacer nada. Voy a mirar las hormigas.

La mamá de Vicentito dirigió una expresiva mirada a su esposo. En el código familiar aquella mirada significaba «Vicente, haz algo».

—¿No has oído a tu madre? —tronó la voz del progenitor medio ahogada por un bolo de churros—. ¡Que te quedes!

Vicentito dio marcha atrás, prudentemente, y fue a sentarse a un sillón de mimbre, en un rincón del comedor. Al pasar junto a su madre, ella le acarició la cabeza, muy agradecida al padre porque al fin se ponía en su lugar, y le dijo con su registro más dulce:

—Anda Vicentito, obedece a tu padre. ¿No ves que ahí fuera te puede cagar un pájaro? Te quedas aquí, te sientas en el sillón de mimbre y estás en familia, que hoy es el día más feliz de tu vida y tienes que disfrutarlo con nosotros.

Vicentito tomó asiento en su maldito sillón de mimbre procurando no apoyar la espalda en el respaldo, no fuera a marcarse la trama en su chaqueta de general. Se quedó allí, contemplando cómo desaparecían los churros y el chocolate y tratando de consolarse con el expediente de que este nuevo sacrificio se estaría contabilizando en el Cielo.

Un rugido de las tripas de Vicentito quedó apagado entre los domésticos fragores del desayuno. Acabada la pitanza, estaba Lorenza levantando los manteles cuando se oyó el primer toque de campana.

—¡El primer repique, Visitación! —gritó la abuela desde la cocina.

—¡Ya lo he oído! —gritó la hija desde el dormitorio—. Vamos a ir vistiéndonos, que no se nos vaya a hacer tarde.

Se fueron a acicalarse y olvidaron a Vicentito en su triste sillón de mimbre. A Vicentito le entró una congoja tremenda que casi le hizo olvidar el hambre. Solamente casi, porque cuando el abuelo apareció con una bandeja de brevas recién cogidas de la higuera del corral, fresquitas y dulces, se le volvieron a alarmar las tripas. Estaba muerto de hambre.

El abuelo dejó la fuente de brevas donde solía, es decir, sobre la mesa de la cocina, y fue a cambiarse.

Fue entonces cuando Vicentito se dejó persuadir por el Maligno. Se levantó del sillón y entró en a la cocina con aire delincuente. Sólo quería contemplar las brevas. A él le gustaban mucho las brevas. La fuente de brevas estaba allí, sobre la mesa, provocadora y apetitosa. Cuando regresara de la comunión podría comer tantas como quisiera.

Vicentito se acercó a la mesa y levantó la servilleta con que el abuelo había cubierto la fuente para que no acudieran las avispas. Las brevas se veían suculentas, negras y maduras. Algunas conservaban su gotita lechosa en el pedúnculo. En el perfecto silencio de la cocina, el corazón de Vicentito podía oírse batir contra las paredes del pecho. Un ruido de tuberías, más notorio que los precedentes, se reprodujo en la tripa del comulgante. Vicentito tragó saliva —tragar saliva no era pecado ni quebrantaba el ayuno— levantó el blanco lienzo que vedaba la contemplación de las brevas y, olvidando los alaridos de desesperación con que su Ángel de la Guardia estaría asistiendo a su mala acción, cogió la breva más gorda y la devoró parapetado detrás de la puerta de la despensa, en el rincón de la cantarera.[12] Era su lugar favorito cuando jugaba al escondite con los primos. Si alguien entraba en la cocina no lo descubriría allí. La breva estaba más dulce que el almíbar, la más rica que recordaba haber comido jamás. Sin embargo, más que mitigar el hambre lo que hizo fue acrecentársela. Hasta parecía que le dolía un poco el estómago. Seguramente el ayuno se lo había destemplado. Se asomó al comedor. Aguzó el oído en el

---

[12] *cantarera*: poyo donde se colocan los cántaros, seguramente de agua.

hueco de la escalera. Nada. Nada perturbaba el silencio de la casa. Volvió a la fuente y cogió otras dos brevas. Riquísimas. La campana de la iglesia dio el segundo toque. Vicentito repitió otras dos veces la operación. Cuando ya había satisfecho el lacerio[13] del hambre repuso la servilleta que cubría la fuente. Sólo entonces descubrió, con estupor, que el paño presentaba una hondonada sospechosa donde antes había un colmo de brevas que apenas podía cubrir. En tales circunstancias la fuente quedaba impresentable. Aunque el abuelo era bastante despistado, en seguida notaría que faltaban brevas. Algo había que hacer y pronto. Vicentito pensó salir al corral y coger unas pocas brevas para reponer las desaparecidas, pero las ventanas de los dormitorios de Lorenza y el de los abuelos daban al corral. Mal asunto. Podrían sorprender su recolección y se descubriría el pastel. Además, ¿cómo encaramarse en la higuera, toda cagada de gorriones, esas avecillas del campo a las que el Señor nunca niega el sustento, vestido como iba con el traje de general? Rechazó la idea. ¿Qué hacer ahora? De pura angustia el corazón se le iba a salir por la boca.

Finalmente una nueva idea vino a redimirlo: el comulgante volvió a destapar la fuente. Quedaban cinco brevas, las menos vistosas. En menos de dos minutos dio cuenta de ellas. Tuvo que estrecharse mucho porque ya estaba verdaderamente ahíto y no le cabía un grano de alpiste en el estómago, pero no había más remedio que sacrificarse y eliminar las pruebas del delito. Así pues, liquidó las brevas restantes, pasó cuidadosamente la servilleta por la

---

[13] *lacerio*: laceria, molestia.

fuente para que quedase bien limpia y sin rastro alguno, la devolvió a su sitio en el chinero[14] del comedor y puso la servilleta, cuidadosamente plegada, en su cajón.

Antes de salir se volvió a mirar su obra. Toda la cocina estaba en perfecto estado de revista, limpia y reluciente. El hueco que dejaba la fuente en el centro de la mesa era ostentoso pero nadie iba a notarlo. El abuelo creería que había olvidado coger las brevas aquella mañana y, de vuelta de la iglesia, volvería a llenar la fuente.

El tercer repique de campana vibró en el aire mañanero. Iba a ser una mañana soleada aunque algo fría. Por las escaleras bajaba el tumulto de la familia puesta de tiros largos para la ocasión. La madre de Vicentito estrenaba amplio velo negro con mucho encaje. La madre de Vicentito estaba guapísima embutida en su traje negro. Llevaba luto riguroso por la muerte de su suegra, a la que odiaba, tres años antes. Todavía le faltaban dos años para poder quitarse el luto. Eso contando con que antes no le diera por morirse a otro miembro de la familia, lo que sería un fastidio porque a la madre de Vicentito, que todavía era bastante joven, le gustaba lucir trajes estampados, que se llevaban entonces, a ser posible a rayas que hacen más delgadas a las pechugonas como ella. Lorenza, que había heredado el viejo velo de la señora, lucía el suyo ufana como un pavo real.

Vicentito procuraba esconder la barriga que había aumentado algo de tamaño después del atracón de brevas. También evitaba mirar a su madre a la cara, por temor a que le leyera en los ojos, como otras veces, su fechoría.

---

[14] *chinero*: armario o alacena donde suelen guardarse piezas de china o porcelana.

Pero la madre de Vicentito estaba demasiado ocupada en los últimos detalles de su atuendo como para prestar atención al delincuente.

—¡Lorenza! ¡Date prisa que vas a llegar tarde! Me pones el reclinatorio al lado del altar de Santa Águeda y te quedas allí vigilándolo hasta que llegue yo, no vayan a presentarse las frescas de las Álamo y lo corran para colocar los suyos. ¡Lorenza!: ¡que no esté demasiado cerca de las velas, no sea que salgamos de la comunión con un lamparón de cera en el vestido!

Cuando Lorenza hubo salido, la familia esperó un tiempo prudencial en el zaguán para que se distanciara algo, no fuera a parecer que iban por la calle casi juntos o siguiendo a la criada. La madre de Vicentito aprovechó para pasar la última revista a su retoño y hacerle las recomendaciones pertinentes.

—A ver, hijo, ¿qué tienes que hacer al llegar a tu sitio en el banco de la iglesia?

—Ponerme a rezar con mucha devoción para recibir dignamente a Dios y... —comenzó a decir el aplicado Vicentito.

—¡Burro!, ¡Jesús, qué burro eres hijo! —tronó la madre— ¡Eso después! Lo primero que tienes que hacer es sacar el pañuelo que te he dado y ponerlo en la tabla, que el banco estará hecho un asco y te van a quedar rodilleras de mugre en los pantalones. ¡Y cuidadito con el pañuelo, a ver si te lo van a quitar, que es de estreno! ¡No olvides cogerlo al salir!

La abuela también hacía sus recomendaciones al abuelo que lucía traje de rayas con chaleco, todo de corte un poco anticuado.

—A ver si paras de engordar, Benito, que ya casi no te puedes abrochar la chaqueta y este traje te tiene que servir de mortaja.

—¡Mujer!, ya sabes tú que los muertos siempre enflacan un poco —se excusaba Benito.

—¡Venga, venga! —la madre de Vicentito dio por fin la salida—. ¡A la calle, que no llegamos a tiempo!

Salió la familia en el orden previsto. Vicentito en medio, escoltado por su madre y su abuela y el padre y el abuelo al lado de sus respectivas. Daba gusto ver al grupo familiar, tan trajeado, elegante y simétrico.

—¡Vicentito! ¡La cabeza alta! No vayas encogido, que parece que tienes joroba como el de la Honoria. ¡Echa esos hombros para atrás, hombre! —ordenaba la mamá de Vicentito. Emitía la voz en sordina, amenazadora, baja y cavernosa, entre dientes, sin descomponer por ello el semblante risueño y feliz de la madre cristiana que lleva a su hijo a comulgar.

Por la calle dijeron adiós a un grupo familiar que escoltaba a otro comulgante. Para evitar ir juntos aminoraron un poco la marcha y los otros apresuraron la suya por la misma razón.

—¡Mira el de la Esperanza qué guapo va también! —observó la abuela.

—¡Qué va a ir guapo, madre! —replicó la mamá de Vicentito—. Lo que pasa es que en cuanto lo despiojan y le limpian un poco los mocos y la mugre, ya parece otra cosa. Pero aunque la mona se vista de seda... ¿No ves que es más retaco que el tapón de una alberca? Lo mismito que su abuelo, que por algo le decían el Milímetro. ¡Todo lo malo se hereda!

—Además es un poco bizco —terció Vicentito queriendo congraciarse con su madre.

—¡Tú a callar! —le replicó ella—. ¡Eso es faltar a la caridad cristiana! ¿Qué culpa tiene el pobre de haber salido bizco? Otros dones le habrá dado Dios.

Después de cruzar un par de calles sin ninguna otra incidencia notoria, salvo, quizá, que el padre de Vicentito pisó una deyección canina (¡Jesús, Vicente, qué torpe eres! No sé cómo estuve para casarme contigo), el grupo familiar llegó a la iglesia.

La iglesia, que era más bien pequeña, estaba abarrotada de fieles. El incienso y la humedad atufaban. Habían encendido luces y velas en todos los altares y habían adornado con macetas, flores de papel y palmas secas todos los espacios libres que quedaban. Vistosas colchas de hilo, bordadas por las Marías de los Sagrarios y por las Hijas de la Legión de María, cuya presidenta local era la tía de Vicentito, ocultaban las manchas de humedad más visibles en los muros.

Vicentito besó a sus padres y abuelos y fue a colocarse en uno de los primeros bancos, delante del altar mayor, donde ya se encontraban los otros comulgantes. En los bancos de la derecha estaban los niños y en los de la izquierda las niñas. Entre los niños abundaban los trajes de general y entre las niñas los de novia, algunas de ellas coronadas de flores blancas de trapo. También había niños y niñas que iban con trajes de calle, aunque adornados con grandes lazos blancos que les colgaban de la cadera o del pecho: eran los niños pobres cuyos padres no les podían costear trajes de primera comunión. Luego les quitaban el lazo blanco y ya quedaban vestidos para unos pocos años. Como el color de estos trajes desentonaba con el blanco de los otros, el cura había dispuesto, de acuerdo con las Marías de los Sagrarios, con las Hijas de la Legión de María y otras señoras principales, que, para que no restaran vista y solemnidad a la ceremonia, los trajes de calle se pusieran a continuación de los trajes blancos y no mezclados.

Las mamás de los comulgantes se hacinaban en los bancos siguientes o en los reclinatorios anárquicamente distribuidos en el espacio que quedaba libre entre los bancos y las capillas laterales del templo. La mamá de Vicentito, como pertenecía a una de las mejores familias del pueblo, tenía su reclinatorio en la iglesia. Vicentito la buscó con la mirada por el lado de la capilla de Santa Águeda. Estaba Santa Águeda muy propia, sosteniendo en una mano la palma del martirio y en la otra una bandeja con sus pechos cortados que si no fuera por la mucha sangre que tenían figurada parecerían dos flanes. A los pies de Santa Águeda estaba, arrodillada en su reclinatorio, la madre de Vicentito. Tenía el misal y el rosario entre las manos, la mirada fija en un punto inconcreto un poco por encima del altar mayor y todo el semblante transfigurado por la devoción. Su expresión acusaba una piedad infinita. No paraba de mover los labios como si le temblaran, señal de que estaba orando. La abuela estaba al lado, un poco más atrás, y hacía lo propio pero se distraía bastante mirando cómo iban vestidas las niñas comulgantes y sus mamás.

El abuelo y el papá de Vicentito no eran visibles. Habrían quedado en la parte de atrás de la iglesia, donde se situaban los hombres, cerca de la salida. Por aquel lado se rezaba poco. Los más jóvenes se subían al coro para atisbar desde allí a las mozas y hablaban de caza y de mujeres sin prestar atención a la ceremonia. Los de abajo se entretenían mirando a la gente que pasaba por la calle, pues la puerta permanecía abierta el tiempo de la misa con el pretexto de que se ventilara la iglesia. Poca gente pasaba por la calle cuando había misa, puesto que casi todo el pueblo estaba en la iglesia. Afuera no quedaban más que cuatro gatos, entre ellos Teodoro, el ateo, y Sofía, la tonta.

Casi todos los hombres tenían poca costumbre de llevar corbata, puesto que no hacían más que meterse el dedo por el cuello y tirar de la camisa como si les faltara el aire.

Toda la grey cristiana se puso ruidosamente en pie al aparecer el cura vestido con la casulla dorada de la festividad y llevando entre sus manos el cáliz con mucho señorío. Los fieles se arrodillaron con gran devoción, en especial los comulgantes. La ceremonia se desarrolló con la debida solemnidad. Cuando llegó el momento de comulgar, fueron pasando ordenadamente por el reclinatorio corrido que había delante del altar mayor y el cura les iba administrando la Sagrada Forma. Tenían muy ensayado este gran momento. Había que entreabrir la boca y sacar un poco la lengua, no mucho, que no parezca que estáis haciendo burla. Para evitar que el Cuerpo de Cristo pudiese caer al suelo por accidente, lo que sería catastrófico, el monaguillo, que era un hijo de la Amparo, por mal nombre la de Mataburros, muy solemne en su función, como si no supieran todos la clase de pájaro que estaba hecho en la vida civil, colocaba debajo de la barbilla

Juan Eslava Galán,
autor de *La primera comunión*.

Julio Alfredo Egea,
autor de *Las calles*.

del comulgante la patena de oro. La patena estaba limpísima. En el momento de tomar la comunión, Vicentito
recordó que su madre le decía siempre a Lorenza: «Limpias esto y aquello y que quede limpio como una patena». La patena estaba, en efecto, limpísima.

Cuando Vicentito recibió la Eucaristía su conciencia
se intranquilizó un tanto al notar que no se obraba en él
ninguna de las angélicas sensaciones que el maestro y el
cura habían descrito prolijamente y prometido a los futuros comulgantes en las sesiones catequísticas. No obstante regresó a su sitio lo mismo que sus compañeros, es
decir, con el semblante dulcemente traspuesto y arroba-
do, los ojos tan cerrados como el tránsito por el estrecho
y concurrido pasillo central permitía sin riesgo de coli-
sión, y las manos unidas en actitud orante. Ya en su sitio,
volvió a arrodillarse sobre el pañuelo (menos mal que
seguía allí, y adoptó actitud humilde y recogida como
sus compañeros, hasta que acabó la Comunión, acto que,
por cierto, duró bastante rato porque también comulga-
ron todas o casi todas las mujeres que había en la iglesia,
entre ellas, naturalmente, la madre y la abuela de Vicentito y Lorenza, con su velo nuevo. Admiraba Vicentito la
destreza casi profesional que su madre ponía en el sacramento; la insuperable mansedumbre con que recibía el
Pan Consagrado y regresaba humilde a su reclinatorio,
cerrados los ojos y sorteando, sin embargo, con milagrosa precisión, todos los obstáculos tanto humanos como
mobiliares que hallaba en su camino, sin rozarse con persona ni cosa.

Hubo luego una plática del párroco que, encaramado
en su púlpito barroco, y con sencillas y sentidas palabras,

no exentas de cierta elegancia, como corresponde a la oratoria sagrada, glosó la importancia de aquel acto y los alcances Salvíficos del Sacramento que acababan de realizar.

Terminó la ceremonia y la grey cristiana salió a la plaza del pueblo un tanto atropellada y desordenadamente. Por razones de colocación en la iglesia la salida fue evangélica, es decir, los primeros en entrar fueron los últimos en salir y los últimos en salir fueron los que habían entrado los primeros.

Ya en la plaza, los hombres se colocaban en los sitios de costumbre en espera de que se les unieran sus mujeres e hijos que salían después. El padre y el abuelo de Vicentito siempre se situaban junto a la Cruz de los Caídos.

Fueron reuniéndose las familias y la plaza se llenó de animados corrillos. Se saludaban las amistades, se encontraban familias emparentadas y las madres de los comulgantes intercambiaban elogios a la belleza y apostura de sus respectivas criaturas. Luego, en cuanto decían adiós y se alejaban unos pasos, las mieles se trocaban hieles y la madre de Vicentito ponía de vuelta y media al comulgante y a su mamá. Vicentito ya estaba acostumbrado a estas mudanzas.

—Hay que ser amables con la gente, hijo mío —aleccionaba la madre a su pichón—. Eso es mentira piadosa, que es caridad cristiana y no es pecado. Pero si luego yo no dijese lo que de verdad pienso de alguien, estaría ocultando mi juicio a los que me escucharon decir la mentira piadosa y por consiguiente faltando a la verdad, y eso sí que es pecado.

La verdad es que a Vicentito no acababan de convencerlo estas razones. Lo que lo tenía preocupado era, sin embargo, el hecho de que su madre se demorase tanto aquel día en la plaza con el consiguiente peligro de que un torbellino de aire repentino arrancase una teja del tejado de la iglesia y fuese a descalabrar a algún comulgante, quizá a él.

En menos de diez minutos, a Vicentito lo besaron lo menos treinta señoras gordas entre tías, primas de la madre o simples amigas de la familia. Los hombres le daban cariñosos cachetitos en la mejilla y le decían a Vicente que el niño iba camino de ser más alto que él.

—Sí que va a ser alto —admitía el padre, orgulloso—. No sé a quién le habrá salido.

Otras veces decía:

—De altura sí que va a tener más que yo, pero de vergüenza...

Los abuelos volvieron a la casa con Lorenza para preparar el almuerzo y Vicentito y sus padres fueron a hacer el obligado recorrido por casas de la familia. Era costumbre visitar a parientes lejanos y amistades para que admiraran el disfraz del comulgante. El comulgante llevaba un taco de estampas-recordatorio con su nombre impreso en el reverso y los iba entregando a las personas que visitaban. Los misales de la mamá y la abuela de Vicentito estaban llenos de estas estampas que servían de registros para señalar las páginas. Unas páginas que, dicho sea de paso, no había por qué señalar, puesto que jamás se leían.

Cuando llegaron al callejón de Capamulos, a cubierto ya de las miradas de la gente que quedaba en la plaza, la madre de Vicentito le pidió el pañuelo al padre, escupió generosamente en él y le estuvo limpiando a Vicentito la

cara, que el besuqueo se la había puesto perdida de carmín.

—¡Ay, hijo mío, que te han dejado la cara como un
ceomo (= Ecce Homo)! Estas tías tuyas mira que son ca-
tetas, la forma que tienen de pintarse los labios. ¡Igual
que si fueran mujeres malas!

El recorrido de visitas duró cosa de dos horas. Iba Vicentito con los pies deshechos porque los zapatos eran
nuevos y apretaban cantidad, pero no se quejaba, en parte porque en cada casa le daban algún dinerillo y en parte porque aplicaba este sacrificio al fondo de su gracia
celestial. Cuando por fin la madre de Vicentito se ablan-
dó a las súplicas del marido, que también estrenaba zapatos y además estaba muerto de hambre, regresaron a
casa.

Mal panorama encontraron al llegar al dulce hogar.
Por lo pronto la comida no estaba preparada y todo el
mundo andaba como loco. La fuente de brevas había de-
saparecido misteriosamente y el abuelo juraba y rejura-
ba que él la había recogido como todos los días. Ni Lorenza ni la abuela se explicaban el misterio. La abuela
estaba dispuesta a creer que era un aviso de las benditas
ánimas del Purgatorio porque, con los ajetreos de la comunión, había olvidado reponer el aceite de la palmatoria[15] que ardía perpetuamente en el granero y, cuando
subió a recebarla,[16] la había encontrado apagada.

La madre de Vicentito, que era la más lista que había
pasado por el colegio de Ursulinas de la capital, se hizo

---

[15] *palmatoria*: especie de candelero bajo, con mango y pie, generalmente de
forma de platillo.   [16] *recebar*: echar líquido (aceite, en este caso) en algún reci
piente.

enseguida cargo de la situación. Cogió a Vicentito, sin decir palabra, de una oreja y lo arrastró al salón de respeto. Aquel marco solemne, adornado con las borrosas fotografías de los bisabuelos y un enorme cuadro de la Virgen del Perpetuo Socorro lleno de dorados y de ángeles perdiendo las sandalias, sólo se abría un par de veces al año, para acoger a las visitas de mucho ringorrango, y un par de veces por semana, para que Lorenza abrillantase suelo y muebles. Vicentito supo cómo se siente una rata de alcantarilla atrapada en el fondo de un cubo de basura por la hiena carroñera hambrienta. Temeroso de que su oreja se desprendiese de un momento a otro, no tuvo más remedio que confesarse culpable de la desaparición de las brevas.

La madre de Vicentito boqueaba[17] como si le faltase el aire y no aflojaba la dolorosa presa de la oreja.

—¡Un sacrilegio! ¡Un sacrilegio en la familia! ¡Un sacrilegio en esta casa! ¡Ay, qué mancha le ha caído a la familia! ¿Qué van a decir en el pueblo cuando se enteren? ¡Nos pondrán en solfa! ¡Saldremos hasta en los periódicos! ¡Desgraciado! Pero... ¿te das cuenta de que te has condenado para la eternidad? ¡De cabeza al infierno! ¡Dios mío, Dios mío! ¿Qué pecado he hecho yo para merecer este hijo sin entrañas? ¡Sacrilegio! ¡Sacrilegio! ¡Pervertido! ¡Canalla!...

A Vicentito no le afectaba mucho la retahíla de insultos que echaba su madre por aquella boca y que a medida que subía la temperatura del monólogo se iban haciendo cada vez menos repetibles y desde luego

[17] *boquear*: abrir la boca.

impropios de una presidenta suplente de las Marías de
los Sagrarios. Su preocupación se orientaba más bien hacia los posibles maltratos físicos que pudieran suceder a
los insultos porque lo de la oreja no era, seguramente
contabilizable como castigo. Tal como la madre de Vicentito tomaba el asunto, aquello era tan sólo para abrir
boca.

La señora tuvo que meter la lengua en paladar durante unos momentos para recuperar el resuello y luego
anunció, torciendo aún más la oreja y rechinando los
dientes:

—¡Tengo que acizañar[18] a tu padre hasta que te pegue
una paliza que haya que liarte entre sábanas!

Sin embargo, y para sorpresa y alivio de Vicentito, la
cosa no llegó, por lo pronto, a mayores. De repente pareció que la madre se calmaba y recuperaba algo la com-
postura. Después de un instante de meditativo silencio,
que pareció eterno al rapaz, soltó la oreja y ordenó:

—¡Que venga Lorenza!

Vicentito fue a llamar a Lorenza. Como el horno no
estaba para bollos, Lorenza apartó la sartén del fuego y
acudió en seguida.

La madre de Vicentito había cambiado de asiento en
cuanto se quedó sola en la sala y ahora estaba en el sillón
que miraba a la ventana, de espaldas a la puerta. Además había entrecerrado los postigos para que sólo pene-
trase un mínimo rayo de luz y el aposento quedase en la
penumbra. Estos arreglos acentuarían el carácter dramá-
tico de la situación y eran muy convenientes porque te-

---

[18] *acizañar*: cizañar, meter cizaña, hacer que se enfade alguien.

ner criada es como tener las paredes de vidrio. Las criadas todo se lo cuentan entre ellas y a través de ellas llegan los chismes a las señoras.

—Mira, Lorenza —dijo la mamá de Vicentito sin mirar a la criada y haciendo como que se enjugaba una lágrima—, coge a este descastado y lo llevas a don Próculo —que así se llamaba el cura— para que disponga lo que hay que hacer con él.

Cuando don Próculo llegó al pueblo no se cansaba de repetir y de corregir a la gente para que pronunciase correctamente su nombre:

—¡Próculo, Próculo, que es esdrújulo, con acento en la primera sílaba, hijo mío!

Pero como la gente del pueblo no es muy instruida, todo el mundo ignoraba el esdrújulo y decía simplemente «Don Proculo» que era más fácil de pronunciar, aunque, desde luego, bastante equívoco. Don Proculo, digo don Próculo, se dio al fin por vencido —son unos asnos sin remedio, decía— y dejó que lo llamasen don Proculo.

Las calles del pueblo habían quedado desiertas. Todo el mundo estaba almorzando, especialmente los comulgantes que estarían muertos de hambre. Lorenza y Vicentito, cuya oreja derecha parecía una panocha, llegaron a la casa del cura sin cambiar palabra. Iba el general de zarzuela cabizbajo y meditabundo como si olvidase que estaba viviendo el día más feliz de su vida. El cura vivía en una casa adosada a la iglesia, una sólida y hermosa casa de piedra que tenía delante un jardín algo descuidado con una fuente seca. Había una puerta que comunicaba el despacho de don Proculo, perdón don Próculo, con la sacristía.

Lorenza repicó dos o tres veces en el llamador de la puerta que figuraba una mano con una bola cogida. Una bola demasiado redonda para ser breva. Más bien naranja. Nada. Después de esperar un espacio de tiempo prudencial, repitió la llamada algo más enérgicamente. Se escucharon pasos acercándose por el interior y luego el ruido del pestillo. Se abrió la puerta y apareció una moza bastante guapetona. Vicentito pensó que debía ser muy recatada puesto que venía abotonándose la abultada blusa. Además de recatada debía ser muy hacendosa como se echaba de ver por su cabello algo desordenado que ella se apresuraba a recoger detrás de una oreja. Aquella moza era la sobrina de don Próculo, una pobre huerfanita desamparada que se encargaba de las labores de la casa parroquial y de los mil detalles que precisan unas manos femeninas.

—Mi tío está almorzando. ¿Es tan preciso? —dijo a Lorenza cuando supo la razón que la traía.

Lorenza dijo que sí, que era muy urgente.

La sobrina del cura los hizo pasar el zaguán de la casa. Sobre una consola había una imagen del Sagrado Corazón de Jesús bastante ensangrentada. En la pared del fondo había una fotografía coloreada de Pío XII con marco dorado de purpurina. Sentado en su trono de oro el Santo Padre tenía una mano levantada en actitud de emitir la suplicada bendición apostólica a nombre de don Próculo.

Unos minutos más tarde salió don Próculo. Vicentito tuvo un sobresalto al ver al cura sin sotana, con un pantalón negro algo ajado y brilloso y una simple camisa blanca. Así parecía mucho más gordo, con una barriga casi tan prominente como la de Saturio, el pregonero. Como llevaba las mangas arremangadas dejaba ver unos brazos muy peludos que también escandalizaron a Vicentito. Lo único identificable como el cura que él conocía eran las acicaladas manos blancas y regordetas y el rostro bonancible. En las comisuras de los labios tenía un brillo rojizo que Vicentito identificó como grasa de chorizo. Algo de pringue le bajaba también por el mentón. Lorenza y Vicentito le besaron la mano, que olía a comida.

—¿Qué pasa, hija mía? —le preguntó a Lorenza mientras acariciaba la cabeza de Vicentito—. Perdonad que haya tardado en salir: estaba tomando un refrigerio y ligera colación porque me sentía flaquear. Lorenza expuso su embajada. Don Próculo la escuchaba con meditativa impaciencia, asintiendo de vez en cuando con la cabeza. Ya no acariciaba a Vicentito. Vicentito tenía la cabeza gacha, la mirada fija en el suelo, procurando no apartarla de una mancha de óxido que había en una de las baldosas, y las manos en los bolsillos.

—Esto que has hecho es muy grave —sentenció finalmente don Próculo—. Es sacrilegio, hijo mío. Hoy están llorando los angelitos en el Cielo por tu mala acción. Sin embargo, Dios, en su infinita misericordia, te va a perdonar. Ven mañana a confesarte a la primera misa y comulgarás de nuevo. Ahora id con Dios.

Don Proculo, perdón don Próculo, extendió la mano regordeta. Lorenza y Vicentito la besaron de nuevo y regresaron por las calles desiertas bajo el sol de plomo.

Al día siguiente la mamá de Vicentito lo llevó a misa de siete a la que sólo iban ella y otras pocas damas de comunión diaria. Vicentito confesó y comulgó, pero tampoco esta comunión fue buena porque tuvo que decirle al cura que estaba arrepentido de haberse comido las brevas y en realidad lo único que lamentaba era que se hubiera descubierto el pastel.

Esta fue la segunda comunión de Vicentito, al día siguiente de realizada la primera. Han pasado ya casi treinta años y no sabemos cómo será la tercera.

Julio Alfredo Egea

Las calles

Julio Alfredo Egea

Nacido en la pequeña localidad de Chirivel (Almería), en agosto de 1926, Julio Alfredo Egea puede considerarse como uno de "los niños de la guerra", ya que cuando empezó la contienda estaba a punto de cumplir 10 años.

Licenciado en Derecho por la Universidad de Granada, ha formado parte de varios movimientos literarios surgidos en la ciudad de la Alhambra, de la que nunca se ha sentido ajeno.

Viajero empedernido, ha dado recitales de sus poemas y conferencias por muchos puntos de España y América, estando en posesión de varios premios por su obra poética ("Miguel Ángel Asturias", de Nueva York; "Ciudad de Palma", "Polo de Medina", "Manuel Sitjé", "Alcaraván", "Tomás Morales", etc.) y por sus relatos ("Hucha de Plata", "Ciudad de Hellín", "Gabriel Sitjé", etc.).

Su obra poética se ha recogido en cinco volúmenes.

El relato "Las calles", con el que obtuvo el reconocido premio "Hucha de plata", en 1990, surgió cuando el alcalde de Vélez-Rubio le comunicó que el Ayuntamiento de aquella localidad almeriense había decidido dedicarle una calle.

Las calles

Yo, Ramón Frías, por fin he llegado a ser alcalde de mi pueblo, porque lo quiso el personal, como debe ser; pasados ya los aborrecidos períodos del dedo de caciques.[1] Y lo primero que he querido hacer, lo que más deseaba, es cambiar los nombres de las calles, y en esto han estado de acuerdo, quizás por primera y última vez, todos los concejales del rojo al amarillo: son buena gente.

Nada de José Antonios,[2] ni Calvo Sotelos,[3] ni Pablos Iglesias...[4] Nombres de pájaros, de árboles..., que sólo al pronunciarlos parece llenarse el aire de trinos y de vuelos. Todos los niños de la calle Tórtola tendrán un zureo amoroso en sus ventanas, anunciando cada amanecer, y los nombres primeros que les pusieron nuestros antepasados, grabados con la hermosura del recate, esos nombres sugerentes, misteriosos, que nunca debieron ser borrados:

[1] *cacique*: persona que, en un pueblo o comarca, ejerce excesiva influencia en asuntos políticos o administrativos.   [2] José Antonio Primo de Rivera (1903-1936) político español fundador de la Falange, fue fusilado al comienzo de la guerra civil española, en Alicante.   [3] José Calvo Sotelo (1893-1936). Murió asesinado cinco días antes del Alzamiento Nacional, convirtiéndose, como el anterior, en un mártir de las derechas españolas.   [4] Pablo Iglesias Posse (1850-1925), político español, tipógrafo de oficio, que fundó y presidió el Partido Socialista Obrero Español y la Unión General de Trabajadores (UGT), líder, por tanto, de izquierdas.

180

Callejón del Tiroteo, Placeta de las Encantadas, Obrador de la Seda, Pasaje de la Niña Dormida...

Y... ¿cómo no?, nombres de artistas y poetas que, al margen de lo efímero de la circunstancia política, pueden servir para que algún vecino pueda encontrar a través del nombre de su calle toda una eternidad de bellezas.

Pero hay que andarse con cuidado sobre los genios vivos, porque eso sí, algunos si pudieran intentarían poner su nombre, no ya a cualquier callejuela de aldea, sino a la mismísima Gran Vía madrileña. Como en el caso de Felipe Tortosa, que vinieron los hijos a interrumpir un pleno municipal para decirnos que teníamos que tomar el acuerdo de poner el nombre de su padre a la placeta en que nació, porque, según ellos, su padre había sido el único inventor que había tenido el pueblo, que había inventado un sacacorchos especial para las botellas de vinos de cava, también un chupete automático para niños de pecho, que acudía hasta la boca del infante desde el barandal de la cuna, atraído por las vibraciones de los inicios del llanto, y una larga relación de inventos decisivos.

Felipe Tortosa había marchado a Tarrasa en sus años mozos, como tantos otros emigrantes, para ganarse la vida, y había vuelto ya anciano, para vivir sus últimos años, para morir en la pequeña casa heredada de su gente campesina. Desde su muerte, ocurrida años atrás, todos los veranos llegaban los descendientes catalanes, en automóviles deslumbrantes, atentos a una remota llamada de la sangre.

Después de la inesperada proposición, quedamos los reunidos sumidos en momentos de estupor silencioso, y, al final, considerando que no era motivo suficiente el testimonio de los hijos, ya que nunca llegó a nuestros oídos noticia alguna del ingenio creador de Felipe, acordamos por unanimidad no acceder a la petición. Aunque nuestro asombro mayor fue cuando días después apareció una gran placa de mármol sobre el antiguo rótulo, con grandes letras grabadas en oro: PLACETA DEL INVENTOR DON FELIPE TORTOSA. Los hijos, despreciando nuestra decisión, habían instalado la placa, que al parecer ya traían preparada, durante la noche.

Días después tuvimos un pleno y se trató el asunto, decidiendo por mayoría transigir y aceptar el nombre impuesto a la plaza, por considerar que la gente lo había asumido con agrado, ya que Felipe había sido un vejete simpático y complaciente para con sus vecinos, y porque no venía mal el nombre de un inventor entre el callejero, aunque se tratara de uno tan fantasmal y desconocido como nuestro paisano, y considerando también, como dijo el concejal de cultura, que podía quedar como símbolo y homenaje a los muchos hijos del pueblo que se habían visto forzados a la emigración, durante los malos tiempos pasados, derrochando en otras tierras su ingenio y sus energías.

Caso muy distinto fue el de Julián Tesoro. Julián había sido nuestro poeta local de toda la vida. Nuestros cortos conocimientos poéticos no podían juzgar su obra, a veces confusa, como en un lenguaje embrujado, a veces con rimas que producían risa, juntando, por ejemplo, alegrías con pulmonías; pero lo que sí admirábamos es que llevara, hasta la seguridad del papel escrito, coplas tradicionales que recordábamos oír cantar a nuestros mayores, y que se iban perdiendo, como aquella tan hermosa del Rosario de la Aurora, que dice:

> «*Un devoto por ir al Rosario*
> *por una ventana se quiso tirar*
> *y le dijo la Virgen María:*
> *detente devoto, por la puerta sal.*»

O aquella que hacía referencia al Cerro de Marta, también llamado del Tesoro, en el cual hay una misteriosa cueva abandonada, en la que hacían sus necesidades todos los vecinos de las casas cercanas, antes de llegar la moda de los retretes, y que tanto afligió y divirtió a ese alemán que viene los veranos a escarbar en la tierra, que se llama Hans Hinderburg, o algo parecido, y ocasionada por aquella Juana, Juana la Larga, con fama de meona, que provocó humedades perjudiciales para las pinturas rupestres:

> «*El tesoro de Marta*
> *se ha vuelto grea*[5]
> *porque Juana la Larga*
> *sube y se mea.*»

También admirábamos a Julián porque a veces hablaban de él los periódicos, y hasta hay quien dice que había salido una vez en televisión, y que en su juventud, en cierta ocasión, durante unos Juegos Florales, había bailado el «Vals de las olas» con una duquesa, parienta próxi-

---

[5] *grea*: greda, arcilla arenosa de color blanco azulado.

ma de los Reyes. Por estos méritos, y otros más, no nos parecía mal ponerle a una calle el nombre de nuestro poeta local; pero este propósito venía de antiguo, de los tiempos del Régimen anterior. Cuando los responsables de la Administración de entonces comunicaron a éste su intención, contestó con una carta de aceptación bajo condiciones, que forma parte del patrimonio cultural de la Casa Consistorial.

Dice así:

«Sr. Alcalde: Me parece desquiciada la idea de poner el peso de mi nombre sobre un grupo de vecinos, tan sólo porque uno tiene este oficio hermoso, pero humilde, de la poesía. Esto me suena a homenaje póstumo, y de pronto he empezado a sentir síntomas de artritis y desordenados latidos del corazón; por primera vez me he sentido un poco viejo.

Me consuela pensar que a veces dan nombres de calles a políticos de efímera trayectoria o de malos recuerdos, aún menos dignos que yo en el orden de los merecimientos. Me consuela pensar que conozco poetas que habrían exigido la mejor calle, la más larga, la más ancha, la de mejores casas o la plaza mayor del pueblo, dando un ultimatum: o eso... o nada.

Aún no conozco la calle que ustedes me han asignado, pero por humilde que sea, ya me siento comprometido con ella. Deseo visitar a los vecinos, uno a uno, y leerles un par de poemas para intentar que queden enterados y conformes. No puedo suponer que me conocen y aceptan como si fuera un futbolista o un presentador de televisión. Quiero intimar con ellos, saber los límites de amor que tienen, de salud, de alegría. Si entre ellos hay algún malasombra, pienso hacer todo lo posible para que se vaya a vivir a otro sitio. Quiero portarme como un buen poeta, no como un mal político. No quiero que en mi calle se instalen funerarias, ni oficinas de cobro de impuestos o contribuciones, ni nada relacionado con posibles disgustos de los vecinos. Tampoco discotecas; me molestan los ruidos desordenados. Pueden instalarse floristerías, tabernas, librerías, jugueterías... Quiero poder allí beber vino con mis amigos, comprarle unos claveles a mi mujer o unos juguetes a mis hijos.Quiero que circule por sus aceras la ilusión y la alegría. Ya veremos..., por ahora me siento confuso, desconcertado y agradecido. Lo que no quisiera es dar motivo para que me cante algún vecino (o alguna vecina) con desprecio, esa copla que dice:

> *Tu calle ya no es tu calle,*
> *que es una calle cualquiera*
> *camino de cualquier parte.*

Le saluda cordialmente
Julián Tesoro.»

Pero cuando el poeta acudió al Ayuntamiento para enterarse de la calle asignada, con el declarado propósito de visitar a sus habitantes, fue informado de que la calle aún no existía, que formaría parte de una barriada que se proyectaba construir en las afueras, y en la que todas sus calles llevarían nombres de poetas famosos. Se le entregó un plano...; su calle estaría situada entre las avenidas dedicadas a Juan Ramón Jiménez y a Federico García Lorca. El plano era un hermoso laberinto formado por los nombres más sobresalientes de la lírica del país. El poeta local sintió la vanidad de ver su nombre rodeado por tan altos nombres, estrechamente cobijado entre plazas y callejuelas. Me lo confesó en una entrevista que tuvimos poco antes de su muerte. Le molestó algo que la calle dedicada al único poeta vivo, aparte de él, Antonio Gala, fuese más larga que la suya; culpando de ello a la influencia causada por la televisión, en donde salía con frecuencia dicho poeta con amplia sonrisa y bastoncito, demostrándome que era más vanidoso de lo que yo creía, pues yo leía los artículos de Gala en *El País*,[6] y me gustaba mucho más su palabreo, no creyendo según mis cortos pareceres, que pudiera superarlo nuestro vate local.

También me dijo que además de entregarle el plano, lo acompañó el secretario del Ayuntamiento a las afueras, y mostrándole un bancal[7] sembrado de hermosas lechugas, le dijo:

—Este bancal pertenece al tío Ruperto, pero en el momento oportuno le será debidamente expropiado, pues aquí estará su calle.

También le mostró otros bancales mucho más grandes, que serían las avenidas de Lorca y Juan Ramón.

Con el tiempo y los aconteceres cambió varias veces el Ayuntamiento y todo siguió igual, hasta que me nombraron alcalde y anulamos el proyecto de la construcción del barrio, pues el personal del pueblo va a menos y no es necesario ampliarlo, ante el mal futuro de la agricultura y el abandono de los más jóvenes.

Así estaban las cosas, olvidados de la promesa de nuestros antecesores, cuando nos llegó la noticia de la muerte del poeta. Había muerto de infarto, una mañana

---

[6] El diario *El País*.   [7] *bancal*: pedazo de tierra de forma cuadrangular donde se plantan legumbres o árboles.

186

de primavera, en el bancal del tío Ruperto que un día de
signaron para ser su calle. Un joven discípulo o amigo
que tenía, escribió en un periódico de la capital: «*Lo en
contraron oculto entre la adolescencia de los trigos, con un
sonrisa fría bajo las últimas estrellas. Murió en busca de la be
lleza, cuando ejercía como coleccionista de mariposas y amane
ceres, sobre una tierra en la que su pueblo pensaba dejar si
nombre escrito para siempre.*»

¿Por qué la circunstancia de morir allí? El Concejal de
Cultura empezó a sentir ciertos remordimientos que no
fue contagiando a toda la Corporación. Tomamos un
acuerdo decisivo: darle su nombre a la plaza mayor de
pueblo. Con la urgencia posible quitamos la gran placa
que decía: «PLAZA DEL CAUDILLO,[8] SALVADOR D
ESPAÑA», sustituyéndola por otra aún mayor: «PLAZA
DE JULIÁN TESORO, GLORIOSO POETA».

Respiramos satisfechos, como el que se quita un gran
peso de encima; todo el pueblo respiró satisfecho. Con
aquel acto acabamos de cambiar el nombre a todas la
calles y plazas, y el pueblo nos parecía otro, alegre y re
novado.

---

[8] Se refiere a Francisco Franco Bahamonde (1892-1975), militar y estadis
ta español que inició el Alzamiento Nacional y gobernó el país durante 3
años.

Propuesta de actividades

I. CUENTOS CLÁSICOS

Se presentan dos títulos completamente distintos, uno tomado de la literatura no castellana, «Jacob de Córdoba y el noble» y otro tomado de la España «cristiana»: «De lo que aconteció a don Lorenzo Suárez en el sitio de Sevilla». Dos autores distintos, dos épocas diferentes y, sobre todo, dos maneras de entender la vida. Algo, con todo, los une: con ambos relatos, sus autores pretenden enseñar a quien los lea. Su fin es didáctico.

Jacob de Córdoba y el noble

Aborda el tema del engañador engañado, muy del gusto árabe, aunque aquí tomado del *Libro de los Entretenimientos* del médico hebreo Yosef ben Meir ben Zabarra, que debió nacer hacia 1140 en el condado de Barcelona.

En el cuentecillo —al estilo de las *maqamas* árabes— se hace uso continuamente de citas bíblicas, todas ellas del *Antiguo Testamento*, aunque en otros casos se tomaban del *Corán*. Sirven a su autor como elementos metafóricos, pero también como ejemplos de vida en momentos puntuales.

① Adviértase el sistema de «regateo» a la hora de adquirir algún objeto, tan propio del mundo islámico en general. ¿En qué momento?

(2) El dolor del engañado Jacob —el padre de familia— influye de un modo muy considerable en sus hijos. ¿De qué manera?

(3) Determinadas fórmulas de intensificación se repiten en el texto. «Madrugó por la mañana», es una de ellas. ¿Cuáles son las otras? ¿Tienen algo que ver con la expresión con que empieza el *Poema de Mio Cid*? Búsquese y compárese.

(4) ¿En qué período de tiempo se desarrolla este cuento? ¿Un día? ¿Un mes? ¿Un año?

(5) Investíguese qué nombre reciben los jueces entre los árabes.

(6) ¿Por qué se quitan las sandalias —los zapatos, en general— algunos pueblos en ciertos lugares? ¿Quiénes? ¿Dónde?

Lo que sucedió a don Lorenzo Suárez en el sitio de Sevilla

Este texto, debido a la pluma del Infante don Juan Manuel, aborda el tema de la prudencia como buena consejera. Es un ejemplo, tomado, hasta cierto punto, de personajes de la vida real de la época. Personajes que cita con pelos y señales durante uno de los escarceos previos a la toma de Sevilla. Incluso pone en escena a Fernando III el Santo, quien finalmente conquistaría la ciudad en el año 1248.

(1) Señálense las partes en que este ejemplo se divide.

(2) En el texto se hace una apuesta. ¿En qué consiste?

(3) La apuesta lleva a los caballeros a cometer una gran imprudencia, que, a la postre, supone un gran éxito para las tropas castellanas. ¿Por qué?

(4) Tras el gran problema, el rey y sus consejeros juzgan a los tres caballeros. ¿Se puede estar de acuerdo con el resultado del juicio? ¿Basándose en qué?

(5) Inténtese un par de versos diferentes a los propuestos por el autor para terminar el ejemplo.

(6) ¿Puede encontrarse algún punto en común entre este cuento y la situación actual de los países con armas nucleares? ¿Cuál?

(7) ¿Y alguna relación con el auge de la violencia racista? ¿En qué momento del texto? ¿En qué sentido?

(8) Investíguese la vida y hechos de Fernando III el Santo. Puede utilizarse para ello el *Diccionario de Historia de España*, o alguna enciclopedia. Incluso libros de vidas de santos. Un folleto turístico de Sevilla puede proporcionar algún dato sobre su lugar de enterramiento.

II. CUENTOS POPULARES

Cuatro cuentos de diversa procedencia y extensión integran este apartado. En ellos se cumplen, en general, las reglas de este tipo de textos. Todos han tenido cabida en recopilaciones de cuentos andaluces, aunque pueden rastrearse en otros lugares y entre otros pueblos del mundo.

El agua amarilla

Cuento publicado por José Luis Ramírez en la revista *El folklore andaluz*, que dirigió Antonio Machado y Álvarez (Demófilo) entre 1882 y 1883. Parte de un lugar común: tres hermanas casaderas, de las cuales la menor alcanza el máximo honor: casarse con el Rey. La envidia actúa en contra de la joven, pero la verdad y la justicia triunfan sobre la mentira y la injusticia.

(1) Nótense las diversas partes del cuento.

(2) Señálese la reiteración del número tres a lo largo del texto.

(3) Existe cierta relación entre esta historia y la de Moisés. ¿Cuál?

(4) Hay cierto parecido entre un momento del relato y el pasaje bíblico de la mujer de Lot. ¿En qué consiste? ¿Puede hallarse algún aspecto en común con la historia de Ulises y las sirenas? Si es así, detállese.

(5) El comienzo del cuento ha de recordar un poema de Antonio Machado. Localícese en sus *Soledades* y coméntese.

(6) El cuento tiene relación con otros, como *El pájaro de la Verdad*, donde se ha de buscar el «agua de los muchos colores». Puede encontrarse en el libro de Fernán Caballero *Genio e ingenio del pueblo andaluz*, de esta misma editorial. Compárense ambos textos.

(7) ¿Por qué podemos considerar este cuento entre los de *encantamiento*?

(8) Obsérvese quién es el auténtico protagonista de la historia, algo poco corriente en este tipo de cuentos.

La princesa encantada

Cuento de larga tradición y no menos amplia localización, pues forma parte del volumen que recogió Alexandr Afanásiev en el siglo XIX, donde se titula «El monte de cristal». Cierto que en el cuento tradicional ruso se convierte al protagonista en uno de los tres hijos de un zar: un joven que matará dragones de tres, seis y doce cabezas. Pero la trama, los dones recibidos y el desenlace son prácticamente idénticos. En este «cuento andaluz», recogido en Sevilla, con la transcripción propia del dialecto correspondiente, encontramos restos de algún otro relato de procedencia árabe, como es el asunto del pez *tres* veces capturado.

(1) En la mayoría de los cuentos tradicionales surge la figura de un personaje que ayuda al protagonista. ¿Quién es aquí?

(2) Muchas veces, el protagonista de estos cuentos recibe un objeto, o un don con los cuales solucionará sus problemas. En esta ocasión se le proporcionarán ambos apoyos. ¿En qué consisten?

(3) En «El monte de cristal» el protagonista, para culminar su tarea, debe matar a un dragón de doce cabezas. En su interior el monstruo oculta un arca; en el arca hay una liebre, en la liebre, un pato; en el pato, un huevo; y en el huevo, una semilla. Compárense con lo que el hijo del pescador encuentra en el vientre de la serpiente de «La princesa encantada».

(4) El anterior es, salvando las distancias, el procedimiento de las cajas chinas. ¿En qué consiste? Invéntese algo similar.

(5) El Castillo de Irás y no Volverás, que aquí se cita como lugar donde vive el gigante, da título a algún cuento popular. Una oportuna investigación entre familiares y amigos puede contrastarlo. Si se lleva a cabo entre los alumnos de una clase, cabe cotejar similitudes y diferencias.

(6) La metamorfosis del muchacho protagonista en diversos animales parece no influir en su vestimenta ni en el huevo que lleva. ¿Resulta inverosímil? ¿Por qué? ¿Hay algún caso similar entre las series de dibujos animados? Si es así, ¿cuál?

(7) En un momento muy concreto del relato se habla de malos tratos a las mujeres. ¿Con qué expresión? Búsquese en la prensa algún hecho de este tipo y dialóguese sobre el asunto.

La adivinanza del pastor

Una adivinanza es, en general, una composición poética breve que plantea una especie de enigma o acertijo. Se sirve para ello de todo tipo de semejanzas, comparaciones, equívocos, etc. Uno de los enigmas más conocidos es el que la Esfinge propuso a Edipo: «¿Cuál es el animal que por la mañana camina a cuatro patas, a mediodía a dos, y por la noche a tres?». Edipo contestó que el hombre, pues entre los seis y los doce meses gatea —va a cuatro patas—; luego anda erguido la mayor parte de su vida —a dos patas—; y, en la ancianidad, muchas veces necesita la ayuda de un bastón —tercera pata— para caminar.

La adivinanza es muchas veces la dificultad que el héroe ha de superar para conseguir su fin, que, en ocasiones es alcanzar la mano de una princesa más o menos caprichosa.

(1) La fórmula «había una vez» es típica para empezar un cuento popular. Pero hay otras. ¿Cuáles?

(2) Resulta de lo más interesante el procedimiento del pastor para elaborar la adivinanza. Se basa en hechos de la vida real que sólo él conoce. De esa forma lo que elabora es un enigma o incluso una charada. Basándose en hechos reales, inténtese inventar una adivinanza.

(3) Obsérvese la reiteración en el uso del número tres. ¿En qué momentos?

(4) Compuesta la adivinanza del pastor, a base de pareados, le falta un verso con terminación en -*ula* para que quede perfecta. Puede intentar completarse.

(5) En el texto parece tener cabida alguna relación sexual. ¿En qué momento?

(6) También tienen cabida los elementos escatológicos, que suelen considerarse susceptibles de comicidad. ¿Dónde?

(7) ¿Quién proporciona ayuda al pastor?

(8) La ayuda que el pastor recibe debe recordar un cuento de tipo popular citado en la *Presentación* de este volumen. ¿Cuál? ¿Por qué?

(9) En ocasiones la verdad parece mentira, y viceversa. Así ocurre en este cuento. ¿En qué momento y por qué se produce?

(10) Algunos pueblos han tenido por costumbre, en momentos festivos, o por otras circunstancias, llevar a cabo concursos de mentiras. Inténtese un concurso de mentiras sobre la marcha.

Un quid pro quo

Cuento de los recopilados por Fernán Caballero probablemente en la época de su matrimonio con el Marqués de Arco Hermoso. En su finca de Dos Hermanas (Sevilla) solía escuchar con atención, a veces escondida tras una cortina (para pasar desapercibida), los cuentos, coplas y chismes que contaba la gente que allí trabajaba. A veces los pone en boca de «El Tío Romance» y su mujer, otras, como en esta ocasión, en la de «un boyero». Pero ella, enamorada de todo lo andaluz, siempre aporta su grano de arena, para darle un matiz costumbrista al asunto que recrea.

(1) Señálense las partes de este cuento.

(2) ¿Puede hablarse de dos narradores? ¿Cómo se distinguen? Obsérvese que Cecilia no ha oído el texto de primera mano. ¿Quién le ha contado lo que relató el boyero?

(3) ¿Cómo se autodenomina Cecilia Böhl de Faber en su papel de recopiladora y transmisora de lo popular? ¿Y a su texto?

(4) Existe cierta dolorosa ironía en la expresión «gracias al *progreso de las ruinas*» en la primera parte del cuento. ¿Qué significa? En cualquier punto de España puede encontrarse un lugar donde avancen dolorosamente las ruinas. ¿Hay alguno cerca? ¿Cuál? ¿Qué se podría hacer al respecto?

(5) Fernán Caballero se queja, a mitad del XIX, sobre el empleo del oro y del tiempo. ¿Puede gastarse mejor? ¿Qué opinión merece en la actualidad la posesión de riquezas en los templos?

(6) Cuando Fernán Caballero habla del tercer día de la semana alude a un refrán. Si tenemos en cuenta que ella consideraba el domingo como primer día, ¿cuál puede ser el refrán? Localícense otros sobre el mismo día y sobre otros días de la semana. Compárense.

(7) Enamorada del pueblo andaluz, Cecilia anota en este relato algunas de las cualidades que lo adornan. Enumérense. ¿Resultan tópicas? ¿Exageradas? ¿Apropiadas?

(8) Cita Cecilia Böhl de Faber al califa Harún al Raschid ibn Mahdi. Investíguese su vida y obra.

(9) En el texto hay una expresión que puede resultar ofensiva para los judíos. Localícese e inténtese explicar.

(10) La aventura del padre Mateo recuerda algún episodio de la serie televisiva *Curro Jiménez*. ¿La cinematografía española ha sacado suficiente provecho a nuestra literatura popular o de autor? Dialóguese sobre el tema.

(11) Se reproducen en el texto algunas expresiones coloquiales. ¿Cuáles? Explíquese el significado de «salga el sol por Antequera». ¿Pudo haberse localizado el cuento en esa ciudad que está situada en el centro de Andalucía? ¿Por qué?

(12) Cecilia Böhl de Faber se sentía «católica a machamartillo», por eso aparecen en el cuento varios motivos religiosos. Hágase un listado de los mismos.

III. Cuentos contemporáneos

Se presentan en este apartado seis relatos de cuya autoría no queda la menor duda. Cronológicamente ocupan una franja muy amplia, pues abarcan, por su temática, desde la Guerra de la Independencia hasta la última década del siglo XX. Un período, pues, de casi doscientos años.

Lo mismo ocurre con sus autores, que van desde Pedro Antonio de Alarcón, uno de nuestros escritores más aplaudidos en el XIX, hasta Juan Eslava Galán, especialmente conocido desde que obtuvo el Premio Planeta con *En busca del Unicornio*, novela que le proporcionó justo renombre. Entre ellos, textos de Arturo Reyes, José María Pemán, y Juan Ramón Jiménez, «el andaluz universal», Premio Nobel de Literatura en 1956. Al final, un relato de Julio Alfredo Egea, reconocido poeta almeriense.

El carbonero alcalde

Dentro de su descarnada crudeza, con el relato se intenta abrir una página legendaria de la capacidad del pueblo español para resistir al invasor. Pedro Antonio de Alarcón convierte en pieza literaria un acontecimiento que, de otra forma, hubiera pasado desapercibido, entre tantas hazañas realizadas ante las tropas napoleónicas.

Suele admirarse la maestría del escritor cuando retrata al alcalde de Lapeza, así como al relatar los acontecimientos.

(1) ¿En qué año se producen los hechos narrados en el texto? ¿Cuántos años más tarde se escribe éste? Investíguese el año en que murió el Cid, así como la fecha aproximada en que se escribió el *Cantar de Mio Cid*, y compárese.

(2) Búsquese en el *Glosario* final de este volumen el significado de los términos *granadero*, *dragón* y *húsar*, que tienen cabida en el apartado I.

(3) ¿Cuál es la gran diferencia entre la alimentación de los franceses y la gente de la zona de Guadix que aquí se refleja? ¿Fue ésa la causa de la toma de Lapeza, o existieron otros motivos?

(4) Inténtese el retrato de un personaje de la localidad, quizás el propio alcalde (o alcaldesa), siguiendo el que de Manuel Atienza (o Atencia) lleva a cabo el autor.

(5) Sin duda alguna, existe cierto paralelismo entre lo ocurrido en Lapeza y lo que había sucedido, siglos atrás, en Numancia. Estúdiese y compárese. Puede recurrirse a algún libro de Historia, pero también a la célebre tragedia de Cervantes *La destrucción de Numancia*.

(6) La enumeración caótica es un procedimiento literario que consiste en proponer, sin orden aparente, una larga serie de elementos. Localícese en el apartado IV del cuento, e imítese en un texto, que puede ser individual o colectivo.

(7) El autor intenta pasar un tupido velo sobre los actos de venganza de las tropas napoleónicas, tras el primer tropiezo en Lapeza. Por desgracia, tales hechos son comunes entre vencedores y vencidos de todas las guerras. El saqueo de Roma por los españoles en época de Carlos I fue considerado de lo más salvaje. Pero todavía ocurre en nuestra época. En la pasada guerra de los Balcanes, en Chechenia, en

tantos lugares de África, Asia y América se producen con frecuencia desmanes semejantes. Búsquense en la prensa y hágase un mural al respecto.

(8) Obsérvese que el señor alcalde de Lapeza no sabe leer ni escribir. ¿Existen analfabetos en la localidad? ¿Puede un analfabeto estar perfectamente integrado en el mundo de hoy? Puede hacerse un estudio sobre el analfabetismo en la zona.

(9) Entre los desmanes de las tropas napoleónicas destacan los de tipo religioso. Localícense en el texto.

En el tren

Publicado en 1910, este cuento de Arturo Reyes tiene mucho de estampa de la época, casi de cuadro de costumbres. Es uno de los menos mechados de términos dialectales, y dotado de más gracia. El humor es, desde luego, una de las características principales del escritor malagueño, quien vivió, pobremente, de su trabajo, hasta el fin de sus días. Incluso se llegó a publicar, cosa incierta, que había muerto de hambre.

(1) En el cuento pueden diferenciarse dos partes. Distínganse.

(2) Cerca de diez poblaciones andaluzas distintas aparecen a lo largo del relato. Localícense y márquense en un mapa.

(3) El protagonista del relato es un locuaz sevillano. ¿Cuál es la advocación de la Virgen que tiene siempre en los labios?

(4) Como el protagonista es un gran amante de la fiesta taurina, a lo largo del texto surgen nombres de toreros, partes de una corrida, y todo tipo de expresiones. Hágase una búsqueda y confecciónese un listado de todo lo relacionado con los toros.

(5) Son varias las comparaciones y las metáforas que tienen como referente al mundo de los toros. Localícense.

⑥ También se produce un proceso muy interesante de animalización. ¿A quién se refiere el protagonista cuando dice que ha metido los pájaros en el jato?

⑦ Búsquense los términos que sufren alguna modificación, debido a causas dialectales. Por ejemplo: *mu*, por muy.

⑧ Localícense términos procedentes de diversas jergas.

⑨ Existe una clara onomatopeya en el texto. ¿Cuál es?

⑩ El protagonista se autodenomina con un apodo, y conoce y cita también el de un paisano. ¿Cuáles son?

⑪ ¿Qué nombres de toreros se esconden tras los apelativos *Bomba* y *Guerrita*? Investíguense.

Las niñas

Se trata, en puridad, de un artículo de costumbres, obra de José María Pemán, tomado aquí de *Signo y viento de la hora*. Resulta un tanto triste, y presenta a tres personajes cuyas vidas languidecen viendo cómo se pierden los restos de algo que fue una fortuna. El autor trata a las tres solteronas con ternura, empezando por el título.

① Las tres solteronas tienen una característica común. ¿Cuál es?

② El lento tránsito del tiempo, que todo lo desgasta, se observa en uno de los más bellos párrafos. Analícense las expresiones utilizadas para lograr ese fin.

③ ¿Qué relación existe entre los nombres de las solteronas? ¿Por qué su único tertuliano es el cura?

④ La lenta ruina de las tres mujeres se concreta en una serie de hechos, pero también con un personaje al que Pemán traza con rasgos animales. ¿Quién es?

(5) ¿De qué formas se hace alusión al sexo en el relato? Anótense.

El zaratán

Debido a la pluma de Juan Ramón Jiménez, *El zaratán* era considerado por él como una «leyenda», quizás a imitación de las de Bécquer, a quien tanto admiraba. Se basa en un hecho real, pues el poeta, que durante su infancia se autodenominaba «Josefito Figuraciones», conoció a Cinta Marín, una joven viuda que tenía un cáncer de mama, entonces incurable.

El autor dibuja el zaratán (cangrejo, cáncer) como un animal diabólico, personificación del mal.

(1) Resúmase el texto ocupando unas cinco líneas.

(2) Josefito Figuraciones, «alias» del niño Juan Ramón, es el protagonista del relato. ¿Qué otros personajes aparecen?

(3) El zaratán es para el protagonista un verdadero demonio. ¿Con qué nombres lo apoda? ¿Existen otros? ¿Cuáles? Búsquese alguno en «La primera comunión», de Juan Eslava Galán, penúltimo texto de esta antología.

(4) También en este relato se habla de malos tratos a mujeres. ¿En qué consisten?

(5) La peculiar ortografía de Juan Ramón resalta en algunas palabras. Anótense todas las que no se adapten a las normas ortográficas actuales.

(6) El retrato de Cinta Marín está enhebrado por una serie de adjetivos. ¿Cuáles?

(7) Muchas son las comparaciones a lo largo del texto. ¿Cuáles utiliza Juan Ramón para representar el pecho de Cinta Marín? ¿Puede incrementarse la nómina? ¿Cómo?

(8) Puesto que el autor afirma que Josefito tendría por aquella época trece años, ¿en qué año se sitúa el relato?

(9) ¿Qué lugares concretos de Moguer y alrededores se citan en el cuento? Una lectura detenida de *Platero y yo* podría servir para hallar puntos en común.

(10) Al final del texto se reproduce una clara onomatopeya. ¿Cuál?

La primera comunión

Cuento de Juan Eslava Galán, publicado en *El mercedes del obispo y otros relatos*. Refleja un momento histórico, una situación social y unas costumbres religiosas no tan lejanas: hacia la mitad del siglo XX. En aquella época, anterior al Concilio Vaticano II, que removió ritos y preceptos católicos, era imprescindible ayunar toda una noche (doce horas) para poder comulgar a la mañana siguiente.

El hambre del chico que va a hacer su primera comunión es el desencadenante de unos hechos que Eslava Galán aborda con humor.

(1) Obsérvese la violencia con que es tratado Vicentito, y compárese con el trato de padres y educadores de hoy.

(2) ¿Qué personajes aparecen en el cuento? ¿Cuál es su relación con el chico?

(3) Nótese qué tipo de estudios ha efectuado el protagonista para acceder a su primera comunión. Contrástense con los que se realizan en el momento actual. Repárese también en la serie de actos que ha de realizar en ese período previo.

(4) La confesión previa a la comunión se aborda con no poca ironía. ¿En qué se manifiesta?

(5) Compárese el traje de primera comunión de Vicentito con los trajes que se usan ahora. ¿Han cambiado? ¿En qué?

(6) Detállese el papel de la radio en un período en que no había televisores. ¿Cuáles son sus funciones?

(7) La travesura del protagonista tiene tintes de tragedia. ¿Por qué?

(8) En el relato aparecen varias alusiones a asuntos sexuales. Distínganse.

(9) Obsérvese la malicia al criticar a los otros niños comulgantes. Inténtese una crítica positiva.

(10) Enumérense todos los elementos religiosos del texto.

Las calles

Más conocido como poeta, el escritor almeriense Julio Alfredo Egea obtuvo con *Las calles* el premio «Hucha de plata» en 1990.

El relato surgió de una anécdota, pues el alcalde de Vélez-Rubio le había comunicado tiempo atrás que pensaban poner nombres de poetas a las calles de un barrio nuevo en su localidad. Entre otros, aparecería el suyo, motivo que lo llenó de satisfacción y le inspiró tratar el asunto, con cierto humor, en un cuento.

(1) El cuento arranca con un marcado tono político. ¿En qué se reconoce?

(2) La emigración de los andaluces hacia otras zonas de la península durante la posguerra se refleja en varios momentos. ¿De qué forma?

(3) En el cuento se cita a un personaje, Juana la Larga, que recibe ese mote por determinada actividad. ¿Cuál? Compárese con otro personaje, de igual nombre, en la novela *Juanita la Larga*, de Valera, donde tiene cabida ya en el capítulo III.

(4) Uno de los personajes citados en el cuento es un inventor de objetos inútiles. Piénsense otras posibilidades de inventos inservibles.

(5) Investíguese acerca del «Vals de las olas» que se cita en el texto.

(6) Cuando se habla del «Régimen anterior», ¿a qué se está refiriendo?

(7) Julián Tesoro escribe una carta al alcalde para agradecer la deferencia de la alcaldía. Escríbase una carta para agradecer que se ponga el nombre del remitente a una calle de la localidad.

(8) Búsquese algún poema del conocido autor que se cita en el cuento, y coméntese.

(9) Compárense los textos de las placas correspondientes a la plaza mayor del pueblo.

(10) ¿Cuál es la idea principal del cuento?

Glosario

abarca: especie de sandalia de cuero.
acizañar: cizañar, meter cizaña, hacer que se enfade alguien.
a fuer de: en virtud de, a manera de.
agramar: majar el cáñamo (o el lino) para separar el tallo de la fibra.
albéitar: veterinario.
aluego: luego.
ardiles: reaños, bríos, fuerza.

bancal: pedazo de tierra de forma cuadrangular donde se plantan legumbres o árboles.
bandurrio: grupo o banda de personas (o de pájaros) no muy numerosa.
barrón: barra grande y muy pesada.
berlina: coche de caballos, cerrado, que solía disponer, normalmente, de un par de asientos.
bocacha: trabuco *naranjero*, de boca acampanada y gran calibre.
boquear: abrir la boca.
bridón: caballo brioso y arrogante.
buscame: buscarme.

ca: cada.
cacique: persona que, en un pueblo o comarca, ejerce excesiva influencia en asuntos políticos o administrativos.
calatravo: caballero de la Orden de Calatrava.
calenturero: abejorro de color tabacoso, cuya presencia se tiene como señal de buen agüero.
camará: camarada.
cantarera: poyo donde se colocan los cántaros.
casa de lenocinio: casa dedicada a la prostitución.
celaje: aspecto que presenta el cielo cuando hay nubes tenues y de diversos matices.

chafado: aplastado.

chanelar: entender.

chapurrar: chapurrear, hablar con dificultad un idioma.

charretera: divisa que se coloca sobre los hombros. Suele ser de oro o dorada.

chavó: chaval, mozuelo.

chinero: armario o alacena donde suelen guardarse piezas de china o porcelana.

chisco: lumbre, fogata, carbón vegetal.

cimbel: cordel que se ata a la punta del cimillo donde se pone el ave que sirve de señuelo para cazar otras.

comisionista: quien trabaja por una comisión, viajante.

como un trinquete: estar robusto.

comprí: cumplir.

cordobán: piel curtida de cabra o macho cabrío.

corpiño: especie de jubón sin mangas.

corría: corrida de toros.

curial: empleado subalterno de los tribunales de justicia.

custión: cuestión.

de chipé: de verdad, de calidad, de órdago.

didon: deformación de la expresión francesa "te lo digo".

dragón: soldado que hacía el servicio alternativamente a pie o a caballo.

en diciendo: diciendo.

enganche: pelea entre dos personas.

entorchado: bordado en oro o plata que llevan como distintivo algunos ministros, generales, etc., en sus uniformes.

espiró: expiró, murió.

estameña: tejido ordinario de lana, que tiene la urdimbre y la trama de estambre.

Fígaro: seudónimo de Mariano José de Larra.

gañafote: saltamontes.

generala: toque de corneta para que todas las fuerzas se pongan sobre las armas.

golá: volar.

goletear: voletear, revolotear.

granadero: soldado de elevada estatura perteneciente a una compañía que formaba la cabeza del regimiento. También soldado de infantería armado con granadas de mano.
grea: greda, arcilla arenosa de color blanco azulado.
guarnición: tropa que defiende un lugar.

húsar: soldado de caballería ligera vestido a la húngara.

jato: hato.
jofaina: vasija que sirve principalmente para lavarse cara y manos.
Josús: deformación de *¡Jesús!*

lacerio: laceria, molestia.
lebrillo: vasija, casi siempre de barro vidriado.

maestrante: cada uno de los caballeros de la maestranza, sociedad que se dedicaba a ejercitarse en la equitación y el manejo de las armas a caballo.
marras: faltas.
mingitorio: relativo a la micción.

naire: nadie.
naíta: nadita.

oidor: ministro togado que en las audiencias del reino oía y sentenciaba las causas y pleitos.

pa: para.
palmatoria: especie de candelero bajo, con mango y pie, generalmente en forma de platillo.
pare: padre.
parella: paño de limpiar.
peina: peineta.
percal: tela de algodón que sirve para confeccionar vestidos de mujer.
pingüe: abundante, copioso.
pitusa: familiarmente, pene, verga.
platicar: conversar, charlar.
por mo: por mor, por culpa de.
pos: pues.

posá: posada.
poyo: banco de piedra, yeso u otro material adosado a una pared.

queo: quedo.

rameado: con dibujos de ramas.
recebar: echar líquido (aceite, por ejemplo) en algún recipiente.
recua: conjunto de animales de carga, que a menudo avanzan en fila india.
registrador: autoridad pública que anotaba en el registro todos los privilegios, cédulas, cartas o despachos librados por el rey, o alguna autoridad.
rodrigón: vara, palo.

saborío: esaborío, falto de gracia.
seráfica: de serafín.

tendío: el tendido: gradería descubierta, próxima a la barrera, en las plazas de toros.
tomiza: soguilla de esparto.
too: todo.
trabuco: arma de fuego más corta que la escopeta, con el cañón ensanchado por la boca.

ubicuidad: que está presente en varias partes a la vez.
utées: ustedes.

ve: vez.
vi: voy.

zaguán: Espacio abierto por el que se entra a una casa, próximo, por tanto, a la puerta de la calle.
zaratán: cáncer de mama.

Antonio A. Gómez Yebra es Profesor Titular de Literatura Española en la Universidad de Málaga. Compagina esta labor docente con la de escritor de todo tipo de libros de creación para adultos. Cultiva, asimismo, la literatura dedicada a niños y jóvenes (poesía, narrativa y teatro), con unos cincuenta títulos en este género. Entre otros, merecen ser citados su edición de *Platero y yo*, de Juan Ramón Jiménez y la *Antología poética* de Miguel Hernández, en esta misma editorial, así como sus novelas para chicos y jóvenes *Aventuras con tito Paco, Un gato verde y con chispa, Operación Marbella*, y todos los de la colección "El grillo de colores".

Como poeta es autor de títulos como *Travesuras poéticas, Animales poéticos, Versos como niños, Menuda poesía, Versos diversos, Adivinanzas de hoy*, etc., de los que ha dado numerosos recitales en múltiples centros culturales de España y América. Sus libros de teatro más significativos son *Algo de teatro infantil* y *Teatro muy breve* (infantil) así como *Sucedió en Belén* (juvenil).

Por su labor como creador para el público más joven ha recibido numerosos premios y galardones en y fuera de España.

207

ESTE LIBRO
SE TERMINÓ DE IMPRIMIR
EL DÍA 14 DE ABRIL DE 2001.